Le Livre noir de Loto-Québec

Du même auteur chez le même éditeur :

Regards sur les temps actuels, essai, 1996.

On achève bien les chevaux, essai, collection « Bristol », 1997.

Tous des bêtes, essai, 1999.

PIERRE DESJARDINS

Le Livre noir de Loto-Québec

LES INTOUCHABLES

Les Éditions des Intouchables bénéficient du soutien financier de la SODEC, du Programme de crédits d'impôt du Gouvernement du Québec, du PADIÉ et sont inscrites au Programme de subvention globale du Conseil des Arts du Canada.

LES ÉDITIONS DES INTOUCHABLES
1463, boulevard Saint-Joseph Est
Montréal, Québec
H2J 1M6
Téléphone : (514) 526-0770
Télécopieur : (514) 529-7780
info@lesintouchables.com
www.lesintouchables.com

DISTRIBUTION : PROLOGUE
1650, boulevard Lionel-Bertrand
Boisbriand, Québec
J7H 1N7
Téléphone : (450) 434-0306
Télécopieur : (450) 434-2627

Impression : Scabrini Média
Infographie et maquette de la couverture : Olivier Boissonnault
Illustration de la couverture : Françcis Vaillancourt

Dépôt légal : 2003
Bibliothèque nationale du Québec
Bibliothèque nationale du Canada

ISBN 2-89549-104-6

INTRODUCTION

Le Livre noir de Loto-Québec m'est apparu nécessaire à plus d'un titre. La population du Québec est certainement en droit de s'attendre au respect que lui doivent son gouvernement et ses sociétés d'État. Or, quand la soif éhontée de bénéfices fait en sorte qu'une société d'État abuse de ses citoyens, qu'elle les incite et les entraîne dans la déchéance, ainsi que le fait Loto-Québec, avec tous les appâts du jeu qu'elle tend aux Québécois à grands renforts de publicité, il y a certes de quoi s'indigner.

Toutes les informations concernant les pratiques méprisantes de Loto-Québec à l'endroit de la population que les lecteurs trouveront dans ce livre viennent adresser au gouvernement le message suivant : assez, c'est assez ! Les Québécois ont tout de même suffisamment de fierté pour s'opposer à ce que leur réputation, comme peuple, se décline à l'aune du nombre de casinos installés sur leur territoire.

PREMIÈRE PARTIE

Un gouvernement irresponsable

Un gouvernement plus bandit que les bandits

Dans le commerce, tout est question de publicité et de marketing ; on peut vendre à peu près n'importe quoi à n'importe qui, pourvu que le produit soit bien annoncé. Ce n'est pas la valeur réelle du produit qui constitue son principal attrait pour le consommateur, mais plutôt ce qu'il représente à ses yeux. Dans le cas des loteries, si on réussit à créer un environnement de jeu plaisant et euphorique, le produit est vendu d'avance. En soi, la valeur réelle des billets de loterie qu'on nous vend n'a pas d'importance. C'est la publicité et le marketing qui font tout le travail.

On remarque souvent que, dans la vente, plus un produit est de qualité douteuse, plus l'entreprise privée qui le produit mettra le paquet en publicité pour le vendre. C'est précisément ce que Loto-Québec fait. Elle met le paquet en publicité pour le faire passer. Car non seulement le produit qu'elle nous vend ne vaut pas son pesant d'or en termes de chances de gagner, mais, qui plus est, il représente un danger potentiel d'accoutumance pour le consommateur. Évidemment, on pourrait s'attendre à ce qu'une société d'État n'arnaque pas ses citoyens en leur vendant sous pression un produit dangereux et qui n'en vaut pas la peine.

Comme elle jouit de plus d'une situation de monopole sur un produit qui crée de l'accoutumance, elle obtient automatiquement une bonne longueur d'avance sur tous les autres produits de divertissement disponibles sur le marché. C'est ce qui explique que 94 % des Québécois ont acheté des produits de loterie en 2001.

Il semble qu'à Loto-Québec il n'y ait aucune limite morale quant aux stratégies de marketing permises. Par exemple, tout en sachant que plusieurs Asiatiques de la région de Montréal étaient aux prises avec un grave problème de jeu, Loto-Québec n'hésita pas une seconde à mettre sur pieds une loterie nommée L'Année du cheval spécialement pour eux. Elle tenta même d'implanter un hippoclub à l'intérieur du quartier chinois. Heureusement, la communauté chinoise se mobilisa à temps et empêcha énergiquement ce qui aurait été pour eux un véritable désastre social [1].

Loto-Québec se permet d'imposer des quotas à atteindre aux dépanneurs qui exploitent une valideuse. C'est ainsi que « Un petit gratteux avec ça ? » est devenu la phrase culte de tous les dépanneurs du Québec. Si vous ne l'avez pas déjà entendue, faites vous examiner, vous êtes probablement sourd !

Il faudrait plutôt que le citoyen soit informé que ces jeux de hasard ne constituent rien d'autre qu'une taxe volontaire. Les chances de gagner sont minces. À La Mini, les chances de remporter le gros lot sont d'une sur 900 000. À la Sélect 42 elles sont d'une sur 5 245 786 et, à la 6/49, d'une sur 13 983 816. De plus, à la roulette, la banque est favorisée de 5,25 % à chaque coup. Et pour ce qui est des machines à sous, celles-ci sont programmées pour assurer un gain moyen de 8 % par mise. C'est ce qui fera dire à l'économiste américain William Eadington que le jeu légalisé est « une taxe pour gens stupides ».

On se souviendra qu'à l'origine, ce fut le maire de Montréal, Jean Drapeau, qui, couvert de dettes en 1968, introduisit pour la première fois au Québec l'idée d'une loterie au profit de l'administration publique. Étant donné que les loteries étaient alors interdites, il contourna la loi en baptisant la sienne « taxe volontaire ». Devant l'engouement de la population pour la fameuse taxe volontaire du maire Drapeau et compte tenu du déclin des revenus des gouvernements provinciaux, le gouvernement fédéral décida d'amender le code criminel en 1969 et légalisa le jeu dans toutes les provinces. Le gouvernement du Québec sauta sur l'occasion et fonda alors Loto-Québec.

Dès le début, cette société d'État fit tout en son pouvoir pour masquer l'idée que ce qu'elle proposait au consommateur était la participation à une taxe volontaire. Loto-Québec présenta plutôt le jeu comme une manière de s'enrichir rapidement et sans effort ; on passa évidemment complètement sous silence le peu de chances de gagner qu'il offrait réellement.

Lorsque l'on vend de l'essence au consommateur, lui cache-t-on que, compte tenu des taxes que l'État soutire de sa vente, le prix qu'il paie pour le produit est de beaucoup supérieur à sa valeur réelle ? Et que penserait-on d'un courtier qui, moins d'une minute après vous avoir vendu des actions en bourse, vous annoncerait que celles-ci viennent soudainement de perdre 55 % de leur valeur ? Vous auriez l'impression d'avoir fait affaire avec un fraudeur. C'est pourtant exactement ce qui se produit lorsque Loto-Québec vous vend ses billets de loteries : loin de vous informer de leur valeur réelle, Loto-Québec fait tout pour vous faire oublier que ceux-ci ne valent même pas 50 % de leur prix de vente. En termes de probabilités, leur valeur équivaut à 45 % à peine du montant que vous avez déboursé. Comme l'écrivait Alain Dubois du Centre de traitement Dollard-Cormier de Montréal :

> Nous sommes malheureusement presque forcés, à la lumière de l'expérience de la légalisation des jeux d'argent et de hasard, de constater que le meilleur programme de prévention résidait en son illégalité, puisque les politiques de l'État ont eu des conséquences plus néfastes que lorsque les jeux d'argent et de hasard étaient sous le contrôle d'organisations criminelles. Le gouvernement est plus bandit que les bandits [2].

Il faut dire que depuis une dizaine d'années, avec la mondialisation, l'effritement de la classe moyenne a eu un effet désastreux sur les finances publiques de la plupart des gouvernements des pays industrialisés. En effet, ceux-ci récoltaient traditionnellement de la classe moyenne le gros de leurs revenus, les gens de cette classe étant les plus nombreux et payant le plus d'impôts. Mais le portrait socio-économique s'est considérablement modifié au cours de ces dernières années avec la mondialisation. La classe moyenne génératrice de revenus fiscaux pour les gouvernements s'est appauvrie considérablement et une grande partie a même glissé vers la pauvreté. Si bien que nous nous retrouvons maintenant devant une société de plus en plus divisée où les riches sont plus riches et les pauvres plus pauvres. Ce qui n'arrange en rien les problèmes de revenus de nos gouvernements.

En effet, ceux-ci ne peuvent compter sur une classe pauvre plus étendue mais qui paie, somme toute, très peu d'impôts, ni sur une classe riche qui, de toute façon, reste peu considérable et dont le taux d'imposition est plafonné. Sans compter que cette dernière bénéficie de multiples formes d'évasion fiscale. C'est ainsi qu'afin d'assurer le maintien de leurs services publics, plusieurs gouvernements déficitaires font aujourd'hui appel au jeu pour équilibrer leur budget. Mais ce sont les pauvres qui paient alors le plus. Alors que Loto-Québec avait un chiffre d'affaires de 51 millions de dollars à son premier exercice financier en 1971, elle en affichait un de 3,6 milliards trente ans plus tard, en 2001. Il s'agit donc d'un chiffre d'affaires de 70 fois plus élevé.

Mais l'engouement pour le jeu ne date pas d'hier. À toutes les époques de l'histoire de l'humanité et un peu partout dans le monde, récession ou pas, le jeu, sous une forme légale ou non, a toujours été plus ou moins présent. On sait que l'homme des cavernes jouait aux dés. Les Égyptiens, les Grecs et les Romains le faisaient également. La passion du jeu n'a rien de nouveau et on ne surprendra personne en le disant. Cependant, bien que le jeu ait toujours fait partie du paysage humain, il prend aujourd'hui des proportions telles qu'il met en péril la santé des citoyens. Si les États qui exploitent le jeu ne modèrent pas leurs transports dans les prochaines années, c'est tout l'équilibre social qui risque de se voir brisé.

Il est d'ailleurs significatif que l'accès aux casinos soit interdit aux photographes et aux journalistes. Qu'ont donc à cacher les dirigeants de la Société des casinos ? Craignent-ils qu'on y voie des gens de l'âge d'or ou sur le bien-être social en train de perdre leur dernier pécule ? À moins qu'ils aient peur qu'on y aperçoive les dirigeants de la pègre rassemblés au salon VIP en train de blanchir leur argent et de sabler le champagne sous le regard complaisant des agents spéciaux de la Sûreté du Québec [3].

Quelle sorte de services les gouvernements entendent-il promouvoir auprès des citoyens ? Ceux en faveur de l'avilissement et de l'aliénation par le jeu ou ceux qui permettent l'enrichissement intellectuel et physique ? Comparons à titre d'exemple les heures d'ouverture du casino de Montréal à celles de la bibliothèque municipale de Montréal ou à celles des centres sportifs de la ville de Montréal. Alors que le casino de Montréal est ouvert 24 heures sur 24, 365 jours par année, la bibliothèque municipale ouvre ses portes de 10 h à 18 h en semaine et de 13 h à 17 h le dimanche, sauf lors des congés et des jours fériés. Si l'on fait un calcul rapide, on s'aperçoit que le casino est rendu disponible au citoyen 8 760 heures par année, alors que sa bibliothèque municipale lui est accessible durant 2 850 heures, soit trois fois moins. On arrive à peu près au même résultat lorsqu'on compare les heures d'ouverture du casino à celles des quelques centres d'activités sportives de la ville.

Pourtant, la promotion des jeux de hasard nuit à l'épanouissement des citoyens. Au niveau des valeurs, ces jeux promeuvent l'égoïsme et le culte de l'argent. Ils favorisent le développement de superstitions dans la population tout en dévalorisant l'esprit de logique et de modération. Au niveau physique, ils contribuent à la mauvaise santé du citoyen qui se retrouve assis des heures durant devant une machine dans un endroit bruyant [4]. Ne pourrions-nous pas transformer ces vastes espaces que sont les casinos en belles bibliothèques ou encore en magnifiques centres d'activités physiques ?

La publicité tapageuse de Loto-Québec est particulièrement efficace auprès des classes démunies qui voient dans les loteries une façon aisée de se sortir du trou. Ce n'est d'ailleurs pas un hasard si, historiquement, c'est en pleine crise que le jeu fut d'abord légalisé en Amérique. Ainsi, par exemple, c'est en 1931 que le jeu fut légalisé à Las Vegas par l'État du Nevada. Pour les pauvres, le jeu est toujours apparu comme une solution magique pour s'en sortir [5].

Un sondage mené aux États-Unis indique que les gens les plus favorables à l'instauration d'un système de jeu légalisé par l'État sont ceux qui appartiennent aux classes pauvres – dans une proportion de 55 % – alors que ceux des classes plus aisées ne s'y montrent intéressés que dans une proportion de 45 % [6]. En Angleterre, au XVIIIe et XIXe siècle, on se servait de loteries pour financer certains travaux publics importants. Or, l'engouement des pauvres pour ces loteries était tel que le gouvernement dut élaborer des lois pour leur en limiter l'accès et protéger les pauvres de trop grandes pertes.

Les loteries comptent pourtant parmi les taxes les plus régressives. Une taxe est considérée comme régressive lorsqu'elle frappe plus durement les pauvres que les riches. Or, avec le jeu, c'est le pauvre qui se retrouve le plus taxé. Toutes les études démontrent que les gens pauvres sont les plus grands consommateurs de jeux de hasard [7].

Dans son livre *Rien ne va plus*, l'ex-joueur compulsif Raynald Beaupré raconte qu'il n'aimait pas visiter le casino le premier week-end du mois. Ce week-end étant celui au cours duquel les bénéficiaires de l'aide sociale se rendent au casino pour y jouer leur chèque, l'achalandage aux machines à sous y est donc très élevé. Par dérision, les croupiers ont d'ailleurs surnommé ce premier week-end du mois « le week-end des millionnaires ». Au bout de quelques jours toutefois, note Beaupré, cette foule disparait, la plupart des prestataires du bien-être social ayant perdu tout l'argent qu'ils avaient reçu du gouvernement.

Évidemment, du côté d'un consommateur à l'aise financièrement, 10 dollars investis en loterie par semaine n'est pas une somme exorbitante ; cela peut représenter 2 % de son budget, ce qui n'est pas énorme. Avez-vous cependant déjà calculé ce que cela peut représenter pour celui qui est payé au salaire minimum ? Plus de 6 %, ce qui est déjà une proportion considérable de son budget. Maintenant, grâce aux bons soins de l'équipe de marketing de Loto-Québec, on va réussir à doubler ou à tripler ce pourcentage en faisant miroiter aux yeux de gens mal nantis un monde de plaisir et d'aisance, un monde auquel ces gens n'ont souvent aucun autre accès...

Voilà qui frise l'indécence pour un gouvernement qui cherche, soi-disant, l'équité fiscale et qui se veut respectueux de tous ses citoyens. On est même allé jusqu'à installer un comptoir de Loto-Québec à l'hôpital psychiatrique Louis-Hyppolite-Lafontaine dans l'est de Montréal. Beaucoup de résidants, paraît-il, s'y achètent des « gratteux ». Facile à comprendre : ce type de billets de loterie est évidemment devenu vite populaire auprès de cette clientèle démunie intellectuellement [8].

Malgré une baisse de 10 % l'année dernière, Loto-Québec engloutit encore 21 millions par année en publicité pour une population de sept millions d'habitants, c'est-à-dire autant que le fait la loterie de New York pour un marché, pourtant trois fois plus gros, de 18 millions d'habitants. En 1993, les 33 loteries américaines qui se partageaient un marché de 200 millions d'habitants dépensaient 500 millions en publicité, soit 40 cents par habitant. Au Québec, déjà à cette époque, Loto-Québec dépensait 2,20 dollars par habitant, c'est-à-dire cinq fois et demie plus [9]. Aujourd'hui, Loto-Québec dépense 3,00 dollars par habitant en publicité. Signalons qu'en France, où la publicité du jeu est beaucoup plus réduite qu'ici, on retrouve quatre fois moins de joueurs compulsifs qu'au Québec, ce qui équivaut à moins de 1 % de la population [10].

Est-il acceptable par exemple qu'on accapare le tiers du bulletin météo pour nous dévoiler les 392 numéros gagnants de Loto-Québec? Ceux qui achètent des billets peuvent très bien consulter les journaux au dépanneur du coin pour obtenir cette information. Il est de plus inacceptable qu'on termine un bulletin d'informations télévisées par l'annonce des gagnants de loterie, comme ce fut le cas chaque soir au TVA de 18 heures avec le concours Roulez gagnant de Loto-Québec. Où est passée l'éthique journalistique dans tout cela [11] ? On n'a pas à imposer la loterie à toute une population et à en faire une règle de vie à travers des bulletins d'informations. Loto-Québec est partout. À LCN, on retrouve même les numéros gagnants de Loto-Québec mêlés aux nouvelles au bas de l'écran...

Selon Sol Boxenbaum, protecteur du consommateur chez Viva Consulting et directeur d'un centre de thérapie, une loi fédérale devrait être votée pour interdire toute forme de publicité sur les billets de loterie, les casinos et les jeux de hasard. Bien que Loto-Québec persiste à nous présenter le jeu comme un divertissement, l'expérience des dernières années nous a clairement démontré qu'il n'en est pas un et qu'il s'agit d'un produit tout aussi nocif que le cigarette. Plutôt que de faire semblant d'être concernée par la prévention du jeu, dira monsieur Boxenbaum, Loto-Québec, comme société d'État, devrait s'occuper simplement de ses affaires de façon responsable en s'arrangeant notamment pour que la vente de ses produits soit la plus limitée possible [12].

Des recherches grassement subventionnées par Loto-Québec et ses mesures d'aide bidon

Durant près de trente ans, Loto-Québec a financé tous les projets de recherche sur les loteries au Québec et a octroyé des bourses aux chercheurs. Via ces généreuses subventions, Loto-Québec tenait à exercer un contrôle sur ce qui se pensait, s'écrivait ou se disait chez nous sur les jeux de hasard, comme si cette puissante société d'État aurait eu là quelque chose à craindre ou à cacher... On peut toutefois se demander quelle est la valeur réelle de toutes ces recherches entreprises sous la supervision de Loto-Québec.

À partir de 1998, devant la multiplication effarante du nombre de joueurs compulsifs et de suicides reliés au jeu, Loto-Québec s'est dotée d'une Direction de la recherche et prévention du jeu pathologique, une division spéciale chargée d'organiser, de planifier et de subventionner tout ce qui se faisait non seulement en termes de recherche, mais également en termes de traitement du jeu compulsif. Un peu comme si un grand cartel de la drogue avait soudainement décidé de prêter généreusement main forte aux victimes de la drogue ! D'une part, Loto-Québec prétendait vouloir aider les joueurs compulsifs et, d'autre part, elle participait activement à leur asservissement au moyen d'une gérance abusive des jeux de hasard.

C'est ainsi qu'au moins trois universités – l'Université Laval, UQÀM et l'Univerité McGill –, ont pu mettre en place des centres de recherches. Regroupant pour la plupart des psychologues, ces centres étudient, à l'aide de sondages, l'état de progression du jeu pathologique chez nous et les causes qui y mènent. De plus, en vue de développer des outils pour traiter cette pathologie, ces centres offrent des cliniques d'aide qui prennent comme cobayes certains joueurs compulsifs et étudient scientifiquement leur comportement.

Mais, faut-il le dire, plusieurs chercheurs de ces centres ressentaient un certain malaise à l'idée d'être subventionnés par l'organisme qui promeut l'activité à l'origine des maux qu'ils traitent. Mais, devant le refus du ministère de la Santé et des Services sociaux du gouvernement du Québec de s'impliquer dans le dossier, avaient-ils le choix ? Telle était, par exemple, l'opinion de Rina Gupta, directrice de la Clinique de recherche et traitement de l'Université McGill alors subventionnée par Loto-Québec : « On se sent mal à l'aise avec cela, admet-elle, mais on n'a pas tellement le choix. Le problème des joueurs pathologiques se fait criant et cela particulièrement chez les jeunes, et on n'a pas d'autres sources de financement possible [13] ».

Le hic provenait principalement du fait que, dans ces centres universitaires, tout projet de recherche devait d'abord être accepté formellement par Loto-Québec pour être subventionné. De plus, Loto-Québec exigeait de ces centres un rapport bisannuel décrivant en détail leurs activités et incluant des exemplaires des publications scientifiques tirées de leurs travaux.

Dans certains de ces centres, toutefois, on ne se formalisait pas trop du contrôle qui était ainsi exercé par Loto-Québec. Ainsi, selon le psychologue Robert Ladouceur du Centre de traitement des joueurs pathologiques de l'Université Laval, ce contrôle n'avait pas d'importance et n'interférait en rien sur le sens ou la valeur des recherches effectuées. Il faut dire que monsieur Ladouceur bénéficiait des « bonnes grâces » de

Loto-Québec depuis une dizaine d'années et qu'il était le porte-parole officiel de Loto-Québec en matière de recherches.

Toujours est-il que, depuis le premier avril 2001, suite aux protestations de la population et aux nombreuses plaintes émanant de centres de traitement, c'est le ministère de la Santé et des Services sociaux et non plus Loto-Québec qui a la responsabilité de la réhabilitation des joueurs. C'est aussi ce ministère qui aujourd'hui subventionne la ligne téléphonique d'assistance aux joueurs en difficulté, rebaptisée depuis SOS-JEUX. Après tout, les soins psychologiques accordés aux joueurs sont des soins de santé à part entière et ces soins sont un droit fondamental et non un privilège que Loto-Québec pourrait accorder comme bon lui semble. C'est donc le ministre délégué à la Santé et aux Services sociaux, Roger Bertrand, qui, au printemps 2002, pour la première fois depuis les trente et un ans d'existence de Loto-Québec, a lancé la stratégie du gouvernement en matière de lutte au jeu pathologique. Soulignons que pendant ces trente et une années de règne sur la recherche, le gouvernement du Québec et Loto-Québec n'avaient pris aucune véritable mesure pour informer les gens sur les dangers que représentent les jeux d'argent.

Pourtant, depuis au moins une vingtaine d'années chez nos voisins du sud, une série de mesures avaient été prises pour contrer le jeu compulsif. Ainsi en 1978, l'État du Maryland fit voter une loi pour le traitement des joueurs compulsifs. Au cours de cette même décennie, l'État de l'Iowa ainsi que celui du New Jersey n'hésitèrent pas à prendre une partie des recettes du jeu pour le traitement des joueurs. Dès le début des années 70, on retrouve même dans plusieurs États américains, des avertissements à même les billets de loterie sur les dangers du jeu. Pourtant, ici, bien que plusieurs autorités en la matière aient maintes fois signalé au gouvernement le danger que le jeu représentait pour la population, rien n'avait été fait.

Profitant sans vergogne d'une opinion publique ignorante et consentante qui continuait à considérer que le jeu compulsif n'était pas une maladie mais plutôt le fait de gens irresponsables, faibles et incapables de se contrôler, notre gouvernement se contenta d'encaisser joyeusement les profits que lui faisait parvenir Loto-Québec. En 1991, alors que le gouvernement savait que les joueurs pathologiques représentaient déjà 1,2 % de la population, il inaugurait un premier casino et, en 1993, il installait un peu partout dans la province des appareils de loterie vidéo.

En 1996, soit cinq ans après l'ouverture du premier casino, le pourcentage des joueurs avait grimpé de 1,2 % à 2,1 %. Malgré les pressions des groupes populaires et des centres de traitement bondés de joueurs, le gouvernement faisait la sourde oreille et affirmait son entière confiance à Loto-Québec pour ce qui est du problème du jeu compulsif…

Refusant la réalité des 180 000 joueurs devenus des malades du jeu en grande partie à cause du marketing trop agressif de Loto-Québec, le gouvernement du Québec a fermé les yeux et a ainsi sciemment participé au développement de cette épidémie silencieuse qu'est le jeu aujourd'hui chez nous. Ce gouvernement a brisé la vie de milliers de familles québécoises autrefois heureuses.

Il aura donc fallu attendre la toute fin des années 90 pour que le gouvernement du Québec commence enfin à sortir de sa torpeur. Toutes les activités de recherche et de prévention du jeu que Loto-Québec supervisait et contrôlait en catimini depuis presque trente ans sont alors transférées au ministère de la Santé et des Services sociaux du Québec qui devient, comme il se doit, le seul vrai responsable de la santé physique et mentale des citoyens de la province.

Notons cependant que Loto-Québec n'entend pas pour autant se départir tout à fait du dossier. En effet, pour conserver son image de bon citoyen corporatif, il a été malgré tout entendu avec le gouvernement que cette société d'État verserait chaque année à ce ministère une somme de 20 millions de dollars. Concrètement, cela signifie que lorsqu'un joueur parie sur l'une des machines de Loto-Québec, une partie des sommes qu'il perd servira à le soigner lorsqu'il sera devenu un joueur compulsif. Quel acte de générosité ! Merci Loto-Québec !

Dans l'une de ses déclarations, l'ex-président de Loto-Québec, Gaétan Frigon, se permettait d'affirmer : « On est la seule province qui a autant d'éléments pour contrer le jeu pathologique. Il n'y a aucune province qui est allée aussi loin que nous autres. Si vous me demandez si nous sommes une entreprise responsable, c'est oui ! [14] » (Il faudrait peut-être qu'il ajoute que le Québec est aussi la seule province qui a autant fait pour promouvoir le jeu !)

Il faut dire que Loto-Québec est passé maître dans l'art de contrôler son image auprès de la population. Elle le fait d'ailleurs auprès de ses employés qui, faut-il le préciser, en voient de toutes les couleurs et peuvent, à l'occasion, avoir quelques doutes sur le bien-fondé de l'entreprise pour laquelle ils travaillent. Ainsi, dès l'embauche de nouveaux employés, Loto-Québec prend bien soin de les faire participer à des journées d'intégration conçues spécialement pour eux.

Au cours de ces journées, outre les belles perspectives d'avenir, on leur présente une séance de formation d'une heure axée sur la problématique du jeu compulsif. Évidemment, il s'agit moins dans cette séance de montrer les dégâts causés par le jeu compulsif que les efforts financiers tentés par Loto-Québec pour le contrer. Tout cela dans la perspective que Loto-Québec n'est là que pour faire des heureux ! Ainsi réussit-on à déculpabiliser à l'avance l'employé en le rendant fier de son entreprise. Pourtant, il n'y a pas de quoi être fier d'une entreprise qui a tout fait au cours des années pour assujettir au jeu une population captive...

Le 12 mars 2002, Loto-Québec présenta devant la Chambre de Commerce du Montréal métropolitain une série de mesures bidon pour contrer le jeu pathologique. Ces mesures se situent à trois niveaux.

Au niveau publicitaire, Loto-Québec s'engage à inscrire au verso de chaque billet de loterie les probabilités réelles de gain.

On se demande pourquoi Loto-Québec n'indique pas plutôt ces statistiques lors de ses multiples messages publicitaires. En effet, pourquoi ne pas diffuser ces chiffres avant l'achat du billet lui-même ? Le consommateur pourrait alors avant d'acheter son billet, et non après, la valeur insignifiante de celui-ci. Avec ce que propose Loto-Québec, ce n'est que lorsque le consommateur a déjà acheté son billet qu'il en connait vraiment la valeur. Et, tant qu'à faire, pourquoi ne pas inscrire également ces probabilités sur les machines à sous ?

Une autre mesure consiste en ce que 20 % du temps ou de l'espace publicitaire soit consacré à une mise en garde à l'égard du jeu pathologique. Ainsi vantera-t-on pendant 80 % du temps les mérites des jeux de hasard tout en gardant un 20 % pour nous mettre en garde. C'est ce qu'on appelle faire de la contre-publicité. Or, pour prendre une image, la contre-publicité agit de la même façon que si vous êtes au volant de votre automobile et que vous appuyez à la fois sur l'accélérateur et sur la pédale de frein. Lorsque vous appuyez à 80 % sur l'accélérateur et à 20 % sur les freins, qu'arrive-t-il ? Vous continuez à avancer sans doute. Vos ventes progressent. Mais si vous faites le contraire, alors votre voiture va à coup sûr demeurer immobile. Logiquement, donc, pour que la mise en garde de Loto-Québec soit honnête, il faudrait qu'il y ait 80 % de mise en garde et 20 % de promotion du jeu.

Prenons l'exemple des compagnies de tabac. Le gouvernement canadien les oblige à utiliser 50 % de la surface des paquets de cigarettes en contre-publicité. Résultat : à 50 % le pied sur l'accélérateur et à 50 % le pied sur les freins, les compagnies de tabac risquent d'étouffer leur moteur avant même d'avoir eu le temps d'étouffer le consommateur avec leur produit. Il semble que lorsqu'il s'agit de tabac, l'État n'exige pas d'abord du citoyen fumeur d'agir de façon responsable, mais qu'il exige d'abord et avant tout des compagnies productrices de le faire. Pourquoi en serait-il autrement avec les loteries ?

Le slogan « Le jeu doit rester un jeu » qu'utilise par exemple

Loto-Québec dans sa contre-publicité est si timide et inefficace que certains établissements privés l'utilisent même pour annoncer la présence de machines de loterie vidéo chez eux. Ainsi a-t-on vu à Laval un minicasino arborant fièrement à l'extérieur ce slogan en lettres lumineuses de néon rouge afin d'attirer sa clientèle de joueurs.

On nous dit cependant avec assurance à Loto-Québec que la contre-publicité est très efficace et qu'elle a un effet notable sur le consommateur à risque. Loto-Québec ne fournit cependant aucun chiffre pour corroborer ses dires. Une chose reste certaine : pour Loto-Québec, le jeu est loin d'être un jeu. C'est plutôt un commerce florissant qui lui fournit un chiffre d'affaires annuel de 3,6 milliards de dollars.

Pour faire face à un autre problème, celui de la dépendance causée par les machines de loterie vidéo éparpillées un peu partout dans la province, Loto-Québec a promis de peindre ses machines en noir. Tant qu'à y être, pourquoi ne pas les recouvrir d'un voile - une *burqa* -, sous laquelle les joueurs pourraient se cacher pour jouer ! De plus, le nombre de jeux disponibles sur ces machines sera à l'avenir limité au nombre de cinq par appareil. Malheureusement, cela ne changera strictement rien au comportement du joueur : on sait que le joueur n'est pas là pour jouer mais pour gagner, les jeux de hasard n'étant pas encore des disciplines olympiques... Peu importe pour lui qu'il y ait 20 ou trois jeux disponibles dans ces machines. Pourvu qu'il puisse gagner, il saura bien se contenter de celles qui sont là.

D'ailleurs, à ce sujet, Loto-Québec aurait plutôt dû tirer profit de l'expérience de la Nova Scotia Gaming Corporation en la matière. En effet, celle-ci a déjà pris cette mesure en 2001 en modifiant de la même façon ses appareils. Or, cette mesure s'est avérée totalement inefficace auprès des joueurs compulsifs. En effet, selon les chiffres de la Nova Scotia Gaming Corporation, les revenus provenant de ces appareils, loin de diminuer, ont connu une croissance de 6,7 millions par rapport à l'année précédente, malgré cette mesure. Ce changement apporté aux machines n'a donc eu aucun effet dissuasif sur le joueur [15].

Pour Amnon J. Suissa, professeur au département de travail social de l'Université du Québec et spécialiste en alcoolisme, toxicomanie et gambling, il faudrait que Loto-Québec aille beaucoup plus loin que cela. Par exemple, Loto-Québec pourrait faire comme aux Pays-Bas et concentrer tous ses appareils de loterie vidéo dans les casinos où chaque habitant ne peut aller jouer plus de huit fois par mois. Dans ces casinos, explique monsieur Suissa, chaque visiteur est fermement contrôlé et les joueurs qui en sont exclus doivent suivre un cours avant de pouvoir y entrer de nouveau [16].

Chez nous, dans les bars et les brasseries du Québec où l'on retrouve les machines de loterie vidéo, l'alcool coule à flots et un guichet automatique n'est jamais très loin. Souvent même, il est adjacent à la machine. Le joueur compulsif n'a qu'à étirer les bras pour vider son compte de banque. Si Loto-Québec voulait vraiment faire quelque chose pour ces joueurs, elle pourrait commencer par enlever les guichets situés à proximité de ses machines.

Mais c'est à un troisième niveau, celui de la responsabilité personnelle du joueur compulsif, que se trouve la mesure la plus douteuse et la moins sérieuse de toutes celles annoncées lors de cette allocution du 12 mars 2002. C'est désormais par l'entremise d'une nouvelle Fondation baptisée Mise sur toi que Loto-Québec dit vouloir contrer le jeu compulsif. Cette fondation spéciale obtiendra une subvention annuelle de 2 millions de la part de Loto-Québec. Elle devra faire en sorte que le joueur compulsif se prenne en mains. C'est une question de « responsabilité personnelle » du joueur compulsif face au jeu, nous dit Loto-Québec.

Toute personne sensée sait pourtant que quelqu'un qui est affligé d'un problème aussi sérieux que le jeu ne peut se prendre en mains. Avant d'accepter de se considérer comme malade, tout joueur compulsif, par définition, va secrètement tout jouer, à partir de sa chemise jusqu'à sa maison, en passant par son emploi, entraînant souvent du même coup sa famille dans sa chute. Demande-t-on à un schizophrène ou à un névrosé de se prendre en mains et de miser sur lui ? Pourtant, un joueur compulsif n'est qu'un névrosé pour qui le jeu est devenu une obsession. Est-ce là mal connaître la maladie mentale ou feindre de mal la connaître pour mieux nous berner ensuite avec ses prétendues mesures préventives ?

De quelle sorte de « responsabilité personnelle » nous parle-t-on ici ? N'est-ce pas plutôt celle de Loto-Québec qu'il faudrait mettre en cause ? Quand une entreprise a tout fait depuis trente ans pour déresponsabiliser le citoyen et le mettre complètement à sa merci, peut-on logiquement demander ensuite à ce dernier, devenu esclave du jeu, d'être enfin responsable ?

Le citoyen, soutient Loto-Québec, doit savoir exercer son libre-arbitre. Il n'est pas un enfant. Il doit agir en être responsable. Encore faudrait-il qu'on lui ait donné la chance d'exercer sa responsabilité. Or, dans le cas présent, ce n'est certainement pas avec la publicité coup de poing de Loto-Québec et ses politiques expansionnistes à tout rompre que le citoyen aurait eu cette chance. Dans un article portant sur l'ensemble des mesures annoncées en mars 2002, monsieur Amnon J. Suissa conclut :

> Peut-on parler d'un plan visant, pour reprendre les mots du nouveau directeur général de Loto-Québec, à contrer le jeu compulsif? Avons-nous abordé les causes structurelles des problèmes psychosociaux liés aux jeux de hasard dans la perspective du jeu dit responsable ou sommes-nous restés confinés à des gestes, certes louables et intéressants, mais qui s'intègrent dans une logique qui s'attarde plus aux conséquences des problèmes en question ? [...]
>
> Alors que la dépendance au jeu, comme celle aux substances, relève fondamentalement de la relation personne - jeu, produit -environnement, et donc d'une réalité multifactorielle, les valeurs véhiculées par ce type de discours (Mise sur toi), prônent plutôt une réalité plus personnalisée et personnalisante en plaçant l'ampleur du problème

dans une défaillance plutôt individuelle que sociale. Comme extension de cette vision qui contribue à déresponsabiliser les rôles importants des gouvernements en place, alors qu'ils sont les acteurs principaux dans le tableau, notons également l'adhésion implicite ou explicite à certains modèles d'intervention qui privilégient une idéologie de nature plus individuelle que sociale [17].

Un programme d'autoexclusion totalement inefficace

Déconnectés de leur situation matérielle réelle, peu de joueurs compulsifs ressentiront le besoin de remplir le formulaire d'autoexclusion formellement disponible à l'entrée du casino. Précisons ici que ce formulaire est à l'intention de ceux et celles qui se considèrent en danger, pour qu'ils demandent une exclusion du casino par le personnel de sécurité. Tout le monde sait cependant qu'avant de se décider à remplir un formulaire d'autoexclusion, le joueur compulsif va souvent tout jouer et tout perdre. Tant qu'il n'est pas rendu à ce stade critique, il ne ressent pas le besoin de demander de l'aide.

Et même lorsqu'il lance ce cri d'urgence, son envie de jouer reste très difficilement contrôlable : ainsi, en 1998, bien que 1807 joueurs compulsifs, ruinés et conscients de leur problème, aient expressément demandé au Casino de Montréal de leur interdire l'accès aux lieux en signant volontairement une demande d'autoexclusion, à 7 415 reprises des agents de sécurité les ont repérés pendant qu'ils jouaient clandestinement aux tables.

Mais, quant à ce programme, Loto-Québec prend bien soin de préciser que la Société des casinos n'assume aucune responsabilité si le client enfreint son interdiction d'accès à laquelle il s'est volontairement engagé [18]. C'est ainsi que Loto-Québec spécifie sa responsabilité quant au joueur qui veut s'exclure. Autrement dit, outre l'obligation que le joueur s'impose à lui-même en signant son formulaire d'autoexclusion, aucune mesure n'est prise, la Société des casinos ne se tenant responsable de rien. Si le joueur parvient à déjouer les gardes de sécurité et à jouer tout de même, peu importe ce qu'il gagnera ou perdra, Loto-Québec ne sera toujours pas tenue responsable. La valeur d'un tel programme est alors très relative, sinon nulle, puisque c'est uniquement la Société des casinos qui a la charge de le faire appliquer. Le porte-parole officiel de Loto-Québec, Jean-Pierre Roy, avouera lui-même l'inefficacité d'un tel programme : « Mais quand un individu se fait expulser des centaines de fois, la parole ne change rien, c'est un problème profondément ancré qui nécessite des années de travail [19] ».

Rappelons qu'en 2002, Stéphane Guimond, un joueur compulsif inscrit volontairement à ce programme d'autoexclusion, se retrouvait dans un état de désarroi total et menaçait de se suicider en employant des bâtons de dynamite dans le stationnement du Casino de Montréal. Ayant été plusieurs fois expulsé du casino par des agents de sécurité, ce joueur avait quand même réussi à s'y introduire à nouveau et à perdre pas moins de 15 000 dollars en une semaine.

Devant l'inefficacité du programme d'autoexclusion, Claude Bilodeau, fondateur de la maison de traitement de joueurs compulsifs du même nom, a demandé à Loto-Québec plutôt de faire de la prévention auprès des joueurs directement dans les aires de jeu, c'est-à-dire aux différents étages du casino. On pourrait ainsi, selon lui, suivre plus efficacement les joueurs en difficulté et calmer les esprits de joueurs qui, comme Guimond, ont perdu la tête à cause de leur problème de jeu.

Notons qu'en Australie, où le jeu est devenu un problème social de première importance, il existe un tel programme d'encadrement des joueurs sur place. Il est également présent en Suisse. Comme l'explique Serge Chevalier de l'Institut national de santé publique du Québec (INSPQ), il ne s'agit pas simplement d'identifier et d'expulser promptement les joueurs compulsifs comme le fait Loto-Québec avec son programme d'autoexclusion, mais bien de les suivre et de les encadrer dans leur comportement face au jeu [20]. Évidemment, les agents de sécurité ne peuvent pas effectuer ce travail. Il faut faire appel à des spécialistes et à des gens d'expérience tels ceux des Gamblers anonymes. Avec tout l'argent que Loto-Québec retire du jeu, elle pourrait très bien offrir ce petit service aux joueurs en détresse.

Pour Raynald Beaupré, la présence de ces intervenants sur place contrebalancerait celle des *shylocks* installés en permanence au casino [21]. Mais notons que, pour l'instant, il n'est aucunement question pour Loto-Québec d'acquiescer aux demandes de messieurs Bilodeau, Beaupré et Chevalier.Loto-Québec affirme plutôt vouloir étendre son programme d'autoexclusion aux établissements qui disposent de machines de loterie vidéo. Il est en effet prévu que la Régie des alcools, des courses et des jeux du Québec (RACJ) créera un programme d'exclusion volontaire pour la clientèle de type bar et brasserie [22].

On se demande toutefois comment il sera possible aux employés de bars d'identifier parmi leur clientèle les joueurs compulsifs qui, à travers la province, auront signé un formulaire d'autoexclusion. Ceux-ci peuvent jouer en tout temps et dans n'importe quel établissement de la province. Comment, alors, les repérer parmi les milliers de joueurs qui apparaîtront sur la liste ? À propos de ce petit détail technique, Loto-Québec est avare de commentaires...

Alors que, dans les casinos, les gardes de sécurité ont, malgré un équipement très sophistiqué, toutes les difficultés du monde à repérer les joueurs ciblés par ce programme, on voit mal comment de simples employés de bar réussiraient à détecter parmi l'ensemble de leur clientèle le visage d'un individu apparaissant dans un lot d'environ 3 000 ou 4 000 photos. Et, pour compliquer davantage les choses, un document de Loto-Québec daté du 22 novembre 2002 précise à ce sujet que les employés ne pourront pas connaître les noms de ces joueurs.

Autant leur demander de chercher une aiguille dans une botte de foin [23] !

Pourquoi des joueurs ruinés poursuivent-ils Loto-Québec ?

Personne ne s'entend vraiment sur la définition du joueur compulsif. C'est ce qui explique que personne ne s'entend non plus sur leur nombre. Selon un sondage réalisé par la firme Léger Marketing en septembre 2001, 5 % des Québécois se considèrent eux-mêmes comme des joueurs compulsifs. Selon Loto-Québec, toutefois, il ne s'agirait que de 2,1 % de la population. Le 2,4 % restant serait constitué de gens qui ne sont pas encore des joueurs pathologiques, mais qui craignent de le devenir [24].

Ce qui est sûr par contre, c'est que, comme dans bien d'autres endroits dans le monde, leur nombre est en dangereuse progression depuis quelques années. Chez nous, cette progression se fait sentir plus particulièrement depuis 1993, au moment de l'installation d'appareils de loterie vidéo à travers la province. Pour toute l'Amérique du Nord, le nombre moyen de joueurs compulsifs avancé par la Medical School de l'Université Harvard serait actuellement de 1,29 %. À ce niveau, le Québec serait donc de 81 % au-dessus de cette moyenne. Et il ne faudrait pas non plus oublier d'ajouter les 10 % à 15 % de gens qui ont malheureusement tendance à parier des montants bien au-delà de ce que permet leurs moyens financiers.

Mais, consolons-nous : il y a pire ! Dans certains autres endroits du monde, comme en Australie, le jeu compulsif est un fléau national majeur avec 7 % de joueurs compulsifs dans la population. Les experts considèrent toutefois que le phénomène qui se dessine en Australie est de mauvais augure et qu'il risque fort de se répandre rapidement ailleurs dans le monde si les multiples gouvernements locaux qui ont légalisé le jeu ne réagissent pas.

Car aujourd'hui, presque partout dans le monde, le jeu a été légalisé. En Amérique du Nord, il est légal dans toutes les provinces canadiennes et dans 48 États américains. Or, bien que les gouvernements y voient pour l'instant une occasion en or pour garnir leurs coffres sans devoir faire appel à des hausses d'impôts – une mesure toujours impopulaire auprès de l'électorat –, il est cependant à prévoir que, tout comme dans le cas de la cigarette, ces mêmes gouvernements, devant la déchéance sociale qu'entraînera inéluctablement le jeu, se verront contraints par des citoyens frustrés d'en limiter progressivement l'accès, voire, à terme, de l'interdire carrément.

C'est dans cet esprit contestataire que s'inscrit le recours collectif intenté chez nous par d'ex-joueurs compulsifs ruinés par le jeu. Le groupe des demandeurs est composé de « toute personne qui, depuis juin 1993, est devenue un joueur pathologique en utilisant les appareils de loterie vidéo de Loto-Québec [25] ». Signalons que devant les tribunaux, Loto-Québec ne s'est pas montrée très coopérative envers les ex-joueurs, puisque leurs avocats ont dû faire appel aux services de la Commission d'accès à l'information pour tenter d'obtenir certaines informations que Loto-Québec cache [26].

Mais disons que, d'une certaine façon, Loto-Québec a déjà reconnu sa culpabilité dans ce dossier, ne serait-ce qu'en acceptant de retirer l'accès aux machines de loterie vidéo de 42 % des bars et brasseries du Québec. Il était temps que Loto-Québec reconnaisse enfin les conséquences néfastes de ses appareils de loteries vidéo disponibles trop facilement partout au Québec et qu'elle agisse en conséquence. On sait, depuis le début des années 90 au moins, que tout est conçu dans ces machines pour créer de la dépendance, notamment en réussissant à donner l'impression à l'utilisateur qu'il a un certain contrôle sur le hasard.

Suite à de nombreux suicides de joueurs, le Bureau du coroner du Québec avait exprimé au gouvernement de sérieuses inquiétudes quant à cette dépendance. Notons cependant que, bien que le nombre d'établissements qui en possèdent sera réduit de 42 %, le nombre total d'appareils, lui, ne sera réduit que de 24 %. Il restera encore plus de 12 000 appareils en fonction à travers la province, ce qui est beaucoup trop ! Nous sommes loin de leur éradication totale.

Signalons que le recours collectif est effectué au nom de quelque 120 000 joueurs compulsifs, réclamant au total 697,7 millions en dédommagement de la part de Loto-Québec. Même si le montant réclamé semble à première vue énorme, il est en réalité minime par rapport aux pertes encourues par ces 120 000 joueurs. En fait, le montant réclamé pour chacun de ces joueurs couvre à peine les frais de traitement que ceux-ci ont eu à subir pour contrôler leur dépendance. Il ne couvre en rien les pertes encourues par le jeu comme tel. Cela représente une somme totale d'environ 5 650 dollars pour chaque ex-joueur, ce qui est bien peu considérant les coûts de traitement à vie, la somme des pertes subies au jeu – entre 75 000 dollars et 150 000 dollars de perte en moyenne par joueur – et tous les dégâts que le jeu leur a causés à eux et à leur famille.

S'il fallait que Loto-Québec rembourse ne serait-ce que les pertes subies au jeu par ces joueurs, c'est environ 10 milliards de dollars qu'il lui faudrait verser, ce qui représenterait à peu près la moitié de tous ses profits générés à ce jour. Et s'il fallait, de plus, additionner à cette somme les multiples frais encourus par les joueurs et leur famille, nous arriverions à une somme de beaucoup supérieure à tout ce que le gouvernement a pu faire comme profit avec le jeu depuis 1971.

Mais, objecteront plusieurs, le joueur n'est-il pas un être adulte et responsable ? Pourquoi toujours blâmer Loto-Québec ? Et pourquoi l'État devrait-il payer pour quelqu'un qui n'a pas su contenir intelligemment sa passion du jeu ? Dans un système libéral comme le nôtre, chacun n'est-il pas responsable de ses gestes ? Alors, pourquoi l'État devrait-il payer pour ce qui apparaît comme étant une défaillance individuelle ?

Tout ici est une question d'équilibre : d'un côté nous avons Loto-Québec avec un budget publicitaire gigantesque qui lui permet de contrôler à sa guise le consommateur joueur, et de l'autre, nous avons le simple citoyen qui voit défiler à cœur de journée toute cette publicité racoleuse et répétitive où on lui fait miroiter des sommes mirobolantes à gagner. Suite à cela, on voudrait que le citoyen agisse en adulte, alors qu'on a tout fait pour l'infantiliser et pour l'accrocher à l'idée de gains faciles. Loto-Québec fait tout pour déresponsabiliser le citoyen et elle voudrait ensuite qu'il soit responsable et qu'il se prenne en mains.

Normalement, dans un régime de libre marché comme le nôtre, le rôle de l'État n'est pas d'abrutir le citoyen mais, au contraire, de le protéger contre certains excès d'entreprises privées peu scrupuleuses qui ne pensent qu'au profit. De plus, l'État a comme rôle de prémunir le citoyen contre certaines habitudes nocives, que ce soient celles du jeu, de l'alcool ou de la drogue. Il doit également contrebalancer l'effet pervers de cette malheureuse déresponsabilisation du citoyen en l'informant le plus justement possible et en lui fournissant tous les outils intellectuels nécessaires, notamment par une éducation adéquate [27].

Dans un système de libre entreprise, l'État est donc là essentiellement pour nous protéger. Ce n'est pas pour rien qu'on y parle toujours d'État Providence. Que diriez-vous, par exemple, si votre père et votre mère vous suggéraient d'aller au casino le plus souvent possible ou de vous acheter en très grande quantité des billets de loterie ? Seraient-ce là vraiment de bons conseils et de bons parents ?

L'État n'est pas là pour nous inciter à jouer mais, tout au contraire, pour nous mettre en garde contre l'attrait du jeu et pour s'assurer que ceux qui exploitent le jeu n'abusent pas de leur pouvoir de séduction auprès de la population. Mais, avec Loto-Québec, le gouvernement du Québec agit de façon exactement contraire : au lieu d'empêcher l'excès du jeu, il l'encourage et ne dénonce pas Loto-Québec qui, à coup de millions de dollars investis en publicité, exploite à fond de train son monopole sans se soucier des conséquences socio-économiques.

La tristesse du casino

Dans son livre, *Le joueur*, Dostoïevski identifie deux sortes de joueurs : d'abord, ceux qui, parce qu'il sont très riches, jouent par pur plaisir, les gentlemen [28]. Pour eux, flamber quelques centaines de dollars au casino équivaut à une soirée au théâtre ou à l'opéra. L'autre sorte de joueur, c'est le compulsif, celui qui appartient au peuple et pour qui le jeu constitue une possibilité d'améliorer son sort.

Or, ce type de joueur c'est, doit-on le dire, la plupart d'entre nous. Nous sommes tous des joueurs compulsifs en puissance. Faute d'être millionnaires, nous espérons tous le devenir de façon magique. Qui d'entre nous cessera de jouer s'il a la chance de d'obtenir un gain substantiel dès sa première mise ? Aucun ne pourra résister à la tentation de tenter sa chance une deuxième fois. D'ailleurs, lorsqu'on étudie quelque peu l'histoire des joueurs compulsifs, on se rend compte que tous ont commencé leur carrière dans le jeu par un ou plusieurs gains faciles. C'est là le pire cadeau que puisse vous faire le casino. Sans vous y attendre, vous faites un gain intéressant. Alors, pourquoi ne pas continuer ? se dit-on dans à peu près dans tous les cas.

Et le grand romancier Dostoïevski, lui-même joueur, a compris dès 1866 que ce danger croît d'autant plus quand l'offre de jeu se fait incessante. Si un joueur se met à jouer de façon compulsive, dira Dostoïevski, c'est uniquement parce qu'il est devenu le jouet du jeu et qu'il ne peut plus s'en détacher.

On sait que l'un des principaux arguments utilisés par Loto-Québec pour justifier son expansion phénoménale chez nous est que le jeu constitue un divertissement sain pour toute personne normale. Compte tenu du droit du citoyen de s'amuser librement, on ne saurait, selon Loto-Québec, interdire ni même réduire l'incitation au jeu. En ce sens, Loto-Québec se dit tout à fait justifiée de publiciser le jeu dans le mesure où, soutient-elle, cette promotion s'adresse à des citoyens qui ont le droit de s'amuser et de passer, par exemple, une belle soirée au casino. Allons donc voir sur le terrain ce qui se passe vraiment au casino et nous serons ensuite plus aptes à porter un jugement sur l'apport positif ou négatif que le jeu constitue pour le citoyen.

Ce qui frappe d'abord en entrant au casino c'est de voir toute une panoplie de personnes seules errant d'une table à l'autre ou s'accrochant à une machine à sous. Le jeu est avant tout une affaire de personnes seules. Chaque joueur est ici dans sa bulle. À une époque où il y a de plus en plus de célibataires, on comprend l'attrait particulier qu'exerce un tel endroit. Vous vous retrouvez au milieu d'une foule constituée de personnes seules qui n'ont que faire des rapports humains ou des bonjours et des bonsoirs de monsieur et madame tout le monde.

Or, c'est précisément cet état particulier qui est dangereux : coupé de toute réalité sociale, le joueur perd le sens du réel et de ses responsabilités, et peu lui importe alors, il devient prêt à tout jouer pour gagner. Car, loin de favoriser la sociabilité ou la convivialité, le jeu favorise plutôt l'égoïsme et la concurrence. Si le joueur soupçonne le moins du monde qu'on l'épie, il devient vite agressif. Loin d'être détendue, la faune du casino est nerveuse et crispée. Le jeu ressemble ici à un travail, un travail auquel s'affairent des centaines de personnes penchées sur leur machine et qui font toujours le même geste, tels des travailleurs à la chaîne dans une usine, le tout dans un tintamarre indescriptible.

Ces gens-là ne sont pas ici pour jouer mais pour gagner, m'explique un habitué de la place. Aussi ils y mettent tout leur sérieux : pas de place pour des blagues ou des fanfaronnades. On peut le comprendre : certains y jouent leurs derniers avoirs ! Certains sont là depuis 12 heures, d'autres depuis 24 heures... Certains y sont même depuis l'avant-veille, soit depuis 48 heures, et cela sans avoir dormi. Quand il faut à tout prix se refaire et que le week-end tire à sa fin, le temps ne compte plus.

La possibilité qu'offre le jeu de gagner en quelques minutes des sommes considérables d'argent fascine évidemment tout le monde. Remarquons qu'en soi il n'y a rien de mal à vouloir faire de l'argent rapidement et sans trop se fatiguer. Le jeu n'est pas condamnable parce qu'il offre l'occasion de s'enrichir rapidement et sans faire d'effort. Quand on sait que certains hommes d'affaires gagnent des sommes mirobolantes avec un simple placement à la bourse, il n'y a pas de quoi s'offusquer et considérer le jeu comme immoral. Le problème ne se pose pas là.

Ce n'est pas le fait de gagner de l'argent en quelques minutes qui est immoral dans le jeu. C'est plutôt le fait que ceux qui offrent cette possibilité aux gens profitent de cet attrait du gain facile pour empocher des profits exagérés. Car les gens qui sont au casino gagnent-ils vraiment ? Évidemment que non. La marge de profit de Loto-Québec ne laisse aucun doute là-dessus. Tôt ou tard, les lois de probabilité rejoignent les ardeurs du joueur et font de lui un illustre perdant de plus. C'est ce qui explique les sourires crispés de cette clientèle arrimée au jeu comme à une bouée de sauvetage.

Jouer au casino, c'est un peu comme si, lors d'une petite partie de cartes entre amis, vous invitiez chez vous le propriétaire d'une grande banque. Qui voudrait d'un tel joueur à sa table ? Vos amis vous diraient probablement que, devant un tel joueur, ils se sentent déjà ruinés. Et ceci, parce qu'ils savent pertinemment qu'en bout de course, compte tenu de l'actif en banque de ce joueur, ils n'auront à la longue aucune chance contre lui.

Au casino, c'est à peu près la même chose : vous faites face à la banque qui finira sûrement un jour ou l'autre par vous laver complètement si vous persistez. La seule question restante est celle de savoir en combien de temps elle le fera. Vis-à-vis du casino, nous sommes tous des perdants en puissance. Lorsque c'était le monde interlope qui gérait les jeux de hasard, on parlait d'un profit de l'ordre de 10 à 20 % sur les mises et on disait à l'époque que c'était du vol. Depuis que le gouvernement a pris cette activité en mains, on ne parle plus d'une telle marge de profit sur les sommes misées, mais bien d'un profit de l'ordre de 45 %.

Mais, dira Loto-Québec pour se défendre, il s'agit d'un profit qui retourne au Trésor public et qui revient donc à la population. Peut-être bien, sauf qu'en dernière analyse, c'est de l'argent que Loto-Québec va chercher directement dans les poches des joueurs en déguisant frauduleusement en jeu ce qui est en réalité une taxe pure de 45 %. Cette tromperie s'effectue notamment par la publicité massue de Loto-Québec. Alors, pourquoi ne pas organiser simplement chez vous une bonne petite partie de cartes entre amis en oubliant cette fois-là d'inviter Loto-Québec à votre table ? Tant qu'à jouer, aussi bien jouer entre gens honnêtes !

Un forum sur le jeu censuré par le gouvernement

Les 8 et 9 novembre 2001, le gouvernement du Québec avait convoqué à Montréal un forum spécial sur le jeu. Celui-ci s'est déroulé en présence d'Agnès Maltais, ministre déléguée à la Santé, aux Services sociaux et à la Protection de la jeunesse. Plusieurs intervenants du milieu du jeu se sont cependant plaints d'avoir eu à harceler son ministère pour être invité, au forum. En fait, plusieurs intervenants du milieu n'y furent jamais invités, comme Richard Painchaud, un résidant du bas-Saint-Laurent qui projette l'ouverture d'un centre de transition pour joueurs compulsifs dans sa région et qui est intéressé au plus haut point par la question du jeu.

Par contre, d'autres, qui furent invités eurent la surprise d'avoir la visite d'un fonctionnaire du ministère et d'une experte en communication venus s'informer de ce qu'ils y diraient. Alors qu'il aurait dû s'agir d'un débat ouvert, plusieurs personnes ont été ainsi bâillonnées et censurées avant même d'avoir pu ouvrir la bouche. De plus, beaucoup de discussions eurent lieu à huis clos. Selon la porte-parole du ministère, Dominique Breton, ces discussions se faisaient à huis clos afin de permettre aux experts « de discuter en toute liberté » [29].

« Tout ça est une blague, dira Richard Painchaud, Le gouvernement est pris dans la position des fabricants de cigarettes. Il invite seulement ceux qui disent ce qu'il veut entendre [30]. »

À la fin du forum, Agnès Maltais s'est engagée au nom du gouvernement à examiner et à évaluer avec soin les pistes de solution proposées. Un fond annuel spécial de 750 000 dollars pour trois ans fut alors débloqué pour étudier l'impact socio-économique des jeux de hasard. Notons toutefois que, quelques jours à peine après ce forum et malgré les bonnes intentions qui y furent exprimées par tous les invités, y compris, hypocritement, par Loto-Québec et ses représentants, Loto-Québec s'empressait de passer sans consultation une commande de 200 millions de dollars pour l'achat de nouvelles machines de loterie vidéo [31].

Pour le critique de l'opposition au gouvernement en matière de jeu, Russell Williams, il ne s'agissait là que de mots, pas plus ! « Est-ce qu'on va enfin s'engager à faire quelque chose ou on ne va encore que jaser », demandait au gouvernement Russell Williams [32] ?

Il faut dire qu'au gouvernement du Québec, lorsqu'il s'agit de discuter jeu, la chose devient vite extrêmement compliquée. En effet, le jeu relève de cinq institutions et ministères différents : le ministère des Finances, le ministère de la Santé et des Services sociaux, l'Institut national de la santé publique et de la Régie de l'alcool, des courses et des jeux, sans compter Loto-Québec. Et, pour l'instant, il n'existe encore aucun mécanisme de concertation entre ces différents paliers de gouvernement. Enfin, entre ces ministères et institutions, il y a, on peut le deviner, beaucoup d'intérêts divergents...

DEUXIÈME PARTIE

Des joueurs compulsifs de tous âges laissés à eux-mêmes

Des enfants de douze ans esclaves du jeu

En 1992, Luc Provost, alors directeur du service de développement chez Loto-Québec, décrétait que la priorité numéro un de la société d'État serait de cibler les jeunes. Onze ans plus tard, qu'en est-il de cette priorité ? L'objectif visé a-t-il été atteint ? À cela, on ne peut que répondre oui ! Car aujourd'hui, avant la drogue, l'alcool et la cigarette, le jeu est devenu la première forme de dépendance chez les jeunes québécois.

Selon la chercheuse Rina Gupta de la Clinique d'aide de McGill, la proportion de jeunes joueurs pathologiques est passée chez nous de 4 % à 7 % en six ans, soit trois fois plus que chez les adultes. Huit enfants sur dix, au primaire, ont déjà joué à des jeux de hasard et d'argent. Œuvrant auprès de jeunes qui ont beaucoup souffert de problèmes liés au jeu, madame Gupta signale avoir vu des adolescents âgés d'à peine quatorze ans devenir dépendants des machines de jeu vidéo.

Le journaliste Brian Hutchinson du *Globe and Mail*, auteur d'un livre sur le jeu au Canada, ne se gênera pas pour dénoncer notre société d'État : « Loto-Québec est probablement la corporation de jeu la plus dynamique au pays… Des enfants ont donc grandi en prenant l'habitude de jouer à la loterie… Et le gouvernement n'a pas abandonné les jeunes pour autant : il veut toujours rajeunir sa clientèle, exactement comme le font les compagnies de tabac dont il dénonce pourtant les pratiques [33] ».

D'après le psychologue Durant F. Jacobs, la dépendance au jeu se crée très jeune, soit en moyenne autour de douze ans. Chez les 12 à 13 ans, ajoute-t-il, 30 % participent à des jeux de hasard au moins une fois par semaine [34]. Entre 10 % et 14 % des jeunes de 15 à 20 ans possèdent déjà toutes les caractéristiques du joueur compulsif. Les jeunes passent beaucoup plus rapidement que les adultes du jeu social au jeu compulsif. Ainsi, les jeunes du secondaire sont de deux à quatre fois plus nombreux que les adultes à devenir des joueurs compulsifs. De fait, le quart de la clientèle présentement en traitement dans les différents centres de la province est âgée de moins de 25 ans, et la majorité de celle-ci a commencé à jouer bien avant l'âge de 18 ans.

Mais qui sont ces jeunes et comment en sont-ils arrivés là ? Le jeune joueur n'a pas en général une très haute estime de lui et vit des problèmes d'adaptation. Il a cependant besoin de stimulation. Aussi, l'annonce de gros lots mirobolants que publicise Loto-Québec a de quoi attirer son attention et exciter son esprit. On le sait, la publicité est particulièrement efficace auprès des jeunes.

On sait que, devant cet intérêt des très jeunes pour les billets de loteries, le gouvernement québécois avait cru bon voter en février 2000 une loi interdisant la vente de billets de loterie aux mineurs. Plus de trois ans après l'adoption de cette loi, on s'aperçoit que son application dans les 11 000 points de vente de Loto-Québec est quasi inexistante. Par exemple, l'année suivant l'application de cette loi, alors qu'il s'est vendu pour 1,8 milliard de dollars en billets de loterie, il n'y avait que deux avis émis contre des détaillants ayant vendu des billets à des mineurs.

Le jeu le plus populaire chez les jeunes est Mise-O-Jeu. Bien que les chances d'y gagner soient minimes – il faut remporter au moins trois matchs – ce jeu basé sur une certaine connaissance du sport remporte la palme auprès eux. Un autre jeu tout aussi populaire est la loterie vidéo. Ayant été, pour la plupart, des adeptes de Nintendo, Playstation et autres jeux vidéo dans leur enfance, on comprend l'attirance quasi naturelle des jeunes pour ce type de jeu.

Pour certains jeunes joueurs toutefois, les appareils de loterie vidéo ne présentent aucun intérêt. Ils y préfèrent plutôt les sites de casinos en ligne, facilement accessibles à partir de leur ordinateur. On estime qu'il existe actuellement environ 1 400 sites de casinos virtuels sur Internet [35]. Ces dernières années, Loto-Québec a développé une expertise en ce domaine via sa nouvelle filiale appelée Ingenio. Loto-Québec se targue ainsi d'avoir introduit sur le marché de l'Internet des jeux de loterie interactifs fonctionnant sur cédérom. Ingenio s'est d'ailleurs associé à l'automne 2002 à MDI, une puissante firme américaine spécialisée dans le domaine des jeux de loterie. Dans son rapport officiel 2001-2002, Loto-Québec écrit fièrement : « Le succès international d'Ingenio contribue à la diffusion du savoir-faire québécois [36] ».

Mais où de si jeunes personnes prennent-elles leur argent pour jouer, demanderont plusieurs ? L'argent ainsi utilisé par ces jeunes est le plus souvent l'argent de leur allocation ou celui que les parents leur donnent pour dîner. Dans plusieurs cas cependant, il s'agira d'argent provenant de la vente d'objets personnels, de vols ou de taxage des plus jeunes de l'école.

Évidemment, pour ces jeunes joueurs, les problèmes scolaires s'accumuleront et le décrochage scolaire sera souvent au rendez-vous à court ou à moyen terme. Cela ira parfois jusqu'au suicide. Chez les jeunes joueurs compulsifs, le taux de suicide est trois fois plus élevé que chez tous les autres jeunes. Selon le Conseil national du bien-être social du Canada, 26,8 % des étudiants joueurs au niveau collégial ont tenté de se suicider, comparativement à 7,2 % des étudiants qui n'avaient pas de problème de jeu.

Dans une lettre adressée au premier ministre Bernard Landry le 1er mai 2001, la Fédération des commissions scolaires du Québec (FCSQ) demandait au gouvernement de restreindre l'accès des jeunes à ces appareils. Dans un rapport détaillé, le Conseil national du bien-être social déclarait : « À moins d'un changement d'attitude, nous craignons que la prochaine génération de joueurs compulsifs soit beaucoup plus grande [37]. » Afin de limiter l'accès des machines vidéo aux jeunes, le Conseil avait même recommandé dans ce rapport le bannissement de ces appareils de tous les lieux publics.

Mais il y a plus de sept ans que ce rapport a été publié. Qu'en est-il aujourd'hui ? Loto-Québec accepte finalement de retirer 3 370 appareils des bars et brasseries de la province. Mais il en relocalisera 1 570 à l'hippodrome de Montréal. Il en restera donc encore près de 14 000 disséminés à travers la province et il y aura toujours autant de jeunes qui s'y accrocheront chaque jour le midi ou après l'école. Nous ne serons donc pas plus avancés qu'il y a sept ans.

Loto-Québec ne peut évidemment vérifier efficacement ce qui se passe dans les établissements qui exploitent ces machines, c'est-à-dire si les règlements quant à l'âge d'utilisation de ces machines sont bel et bien appliqués par les propriétaires et s'ils sont bien observés par les joueurs, ce qui, d'après de nombreux témoignages, est loin d'être sûr [38].

Devant l'avidité de certains jeunes joueurs de niveau secondaire, des bookmakers ont fait irruption dans les cours d'écoles de la province. Ils n'hésitent pas à inciter les jeunes à parier, plus particulièrement ceux qui sont déjà endettés par le jeu. Il faut dire que Loto-Québec, avec sa politique d'une clientèle plus jeune, a même tenté en 1998 d'introduire des machines distributrices de « gratteux » sur le territoire de l'UQÀM. Heureusement, grâce à la vigilance de l'association étudiante qui s'y est opposée, cette initiative n'a pas eu de suites.

Selon les chiffres compilés par le Centre international pour l'étude, le traitement et la prévention du jeu chez les jeunes, ceux de première secondaire consommeraient de l'alcool et des cigarettes dans une proportion de 7 %, tandis que ce pourcentage serait de 30 % pour le jeu. Alors que moins d'un jeune sur dix est tenté par l'alcool, la cigarette ou les drogues, plus du tiers s'adonnent au jeu sur une base hebdomadaire [39].

Mais ce qui est inquiétant pour les parents et les éducateurs est le fait que, contrairement aux habitudes de la cigarette ou de la drogue facilement repérables par l'odeur ou l'allure extérieure du jeune, l'habitude du jeu, elle, ne laisse rien transparaître. De plus, contrairement aux adultes, ces jeunes joueurs compulsifs ne demanderont pas d'aide. D'une part, les sommes qu'ils misent restent relativement minimes et, d'autre part, comme ils n'ont pas de famille à faire vivre ou de maison à payer, les dégâts financiers qui en découlent sont moins catastrophiques que chez leurs aînés. Mais leur problème de jeu, lui, reste entier et s'il n'est pas soigné, il se développera fatalement. Comme l'explique Denis F., porte-parole des Gamblers anonymes : « À 18 ans, ils ne veulent pas demander de l'aide. Ils ne sont pas encore descendus assez bas. »

Le jeu : pire que la drogue !

On pourrait comparer l'effet du jeu à celui d'une drogue comme la cocaïne. Pour être plus précis encore, nous pourrions en comparer l'effet à celui du crack qui provoque une dépendance beaucoup plus rapidement qu'une drogue « traditionnelle ». Car, tout comme le drogué qui a besoin de doses de plus en plus fortes, le joueur sentira le besoin de miser des montants toujours plus élevés. C'est seulement ainsi qu'il obtiendra l'excitation nécessaire pour se satisfaire.

Bien que le jeu ne nécessite pas comme la drogue ou l'alcool l'absorption de substances par l'organisme, les spécialistes en toxicomanie soutiennent qu'il est tout aussi nocif qu'elles, sinon plus. Il est rare de voir un consommateur d'alcool atteindre un niveau de dépendance élevé après quelques semaines seulement ; avec le jeu, cela arrive couramment, surtout si on a affaire à un adepte de loterie vidéo. Il est également exceptionnel qu'un alcoolique ou un drogué consomme pour plus de 1 000 dollars en une seule soirée. Pour le joueur compulsif, voilà une chose courante… Par ailleurs, lors des périodes de sevrage pendant le traitement du jeu compulsif, on observe chez les joueurs dans les dix premiers jours de violentes réactions de tremblements, de maux de tête et de diarrhée similaires à celles que l'on rencontre chez les alcooliques et les drogués lors de leurs cures.

Toutefois, le joueur n'a rien de l'apparence d'un drogué ou d'un alcoolique. Au contraire, il est plutôt en général du genre bien mis et de tempérament énergique. Il est travaillant. Sa bonne humeur et sa joie de vivre confondront les personnes les plus éclairées. Ce comportement s'explique, dira le docteur Robert Custer, spécialiste en traitement pour joueurs compulsifs de l'hôpital de Brecksville en Ohio, par le fait que le jeu représente la plus pure forme d'accoutumance psychologique. Même lorsque la dépendance tient le joueur dans un étau de fer, le joueur, manipulateur par excellence, paraîtra à ses proches en parfaite santé et comme l'être le plus normal du monde [40].

Lorsqu'il gagne, le joueur se sent invincible. Il est le plus fort du monde et il rayonne en faisant des cadeaux à gauche et à droite. Lorsqu'il perd, il se console rapidement et il garde en général un bon moral car il se dit que ce n'est qu'une malchance temporaire et que, de toute façon, il méritait peut-être cet échec, ayant menti à sa famille ou ayant emprunté illégalement de l'argent pour jouer.

Les journalistes Claude Marcil et Marie Riopel écriront : « Aucun signe physique ne trahit ces gens : ils n'ont pas de marques d'aiguilles sur les bras comme le drogué, leur haleine ne les dénonce pas comme l'alcoolique. Ils n'absorbent rien. Tout se passe dans la tête. L'obsession du jeu est une compulsion, une dépendance à l'état pur, non polluée par des substances chimiques, et qui procure un plaisir ou un soulagement instantané [41] ».

Dans un article spécialisé où elle fait un parallèle entre l'attitude du joueur compulsif, et celle du drogué, la psychologue Christine Tassé note que, malgré son attitude débonnaire, le joueur compulsif qui est d'une nature éminemment narcissique, est beaucoup plus difficile à soigner que le drogué. En se référant à son expérience clinique, madame Tassé s'est aperçue que, face au thérapeute qu'il associe à un modèle, le joueur se sent si démuni et dévalorisé qu'il devient alors presque impossible d'entrer en communication avec lui. Le thérapeute, note-t-elle, n'a habituellement pas ce problème face au drogué qui, n'étant pas de nature narcissique, ne voit nullement en son thérapeute un modèle et ne le craint pas. C'est ce qui expliquerait, entre autres, des taux de suicide beaucoup plus élevés chez les joueurs que chez les drogués, les joueurs, trop fiers, ne sachant pas accepter la défaite [42].

Cette terrible dépendance au jeu se développe sans crier gare et peut frapper n'importe qui à n'importe quel moment de sa vie. Certains ont même comparé le jeu à une maladie comme le cancer, car il débute lentement sans signaler sa présence et, tout à coup, il devient très agressif. De plus, le joueur pathologique ne consulte jamais un spécialiste de la santé durant les phases initiales de sa dépendance. Même après avoir perdu de gros montants, il est convaincu qu'il a été victime d'une période de malchance et qu'il regagnera rapidement l'argent perdu. Dès qu'il fera le moindre gain, le joueur continuera à jouer de plus belle ! Voici comment le psychiatre Richard J. Rosenthal décrit cette attitude :

> Le joueur compulsif est un optimiste pathologique qui ne tire jamais de leçons de ses défaites. Les faits, l'expérience passée ne le dérangent pas. Sa foi en un succès final ne peut être ébranlée par des pertes financières mêmes énormes. Il n'a pas gagné aujourd'hui. Et alors ? Demain il sera chanceux. Il perd encore ? Ça ne prouve rien, à un moment donné il va gagner [43].

Avec l'avènement des loteries instantanées – les « gratteux », où vous n'avez plus à attendre pour connaître le résultat, le phénomène de dépendance rapide au jeu s'est accentué. Au Québec, il s'est vendu en 2000-2001 plus de billets de loteries instantanées que de billets de 6/49 (579,9 millions de dollars contre 461,9 millions). Or, tous les spécialistes le diront : les loteries instantanées constituent une des formes les plus sournoises de la dépendance au jeu.

Même un alcoolique n'hésitera pas à ralentir sa consommation d'alcool pour pouvoir s'en acheter. Le jeu prend alors facilement le dessus sur l'alcool ou la drogue. De même, plusieurs joueurs préféreront se priver de nourriture plutôt que d'arrêter de jouer. De toute façon, vous diront-ils, l'attrait du jeu est si fort qu'ils n'ont pas faim.

Vous êtes chez vous tranquille ou encore au travail et, soudain, sans trop savoir pourquoi, vous vous mettez à penser au jeu. À ce moment-là, vous ne pouvez plus accomplir aucune autre activité, vous êtes comme paralysé. C'est plus fort que tout, il faut que vous alliez immédiatement jouer. C'est ainsi que Raynald Beaupré décrit dans son livre autobiographique *Rien ne va plus* l'attrait qu'avait pour lui le jeu. Et, ajoutera-t-il, une fois rendu au casino, vous êtes soulagé. Vous vous sentez en confiance et en pleine possession de vos moyens. Plus rien ne vous affecte. Vous êtes enfin prêt à jouer [44] !

La satisfaction obtenue alors ne tient pas au gain réalisé mais à cette sensation passionnée bien particulière d'entrer dans un monde différent. C'est d'ailleurs ce qu'avait fort bien compris, au XVIIe siècle, Blaise Pascal, ce philosophe mathématicien, inventeur des lois de la probabilité qui, dans ses célèbres *Pensées*, écrivait à propos de la passion qui anime tout joueur :

> Tel homme passe sa vie en jouant tous les jours peu de chose. Donnez-lui tous les matins l'argent qu'il peut gagner chaque jour, à la charge qu'il ne joue point, vous le rendez malheureux... Un amusement languissant et sans passion l'ennuiera. Il faut qu'il s'y échauffe, et qu'il se pipe lui-même en s'imaginant qu'il serait heureux de gagner ce qu'il ne voudrait pas qu'on lui donnât à condition de ne point jouer, afin qu'il se forme un sujet de passion et qu'il excite sur cela son désir, sa colère, sa crainte pour cet objet qu'il s'est formé comme les enfants qui s'effraient du visage qu'ils ont barbouillé [45].

Des cadeaux par milliers pour attirer les joueurs compulsifs

Mais comment, demanderont plusieurs, quelqu'un d'intelligent – beaucoup parmi les joueurs compulsifs sont des professionnels et des cadres moyens et supérieurs – peut-il être à ce point hypnotisé par le jeu qu'il en vienne à flatter sa machine, à lui parler et à porter des couches lorsqu'il va au casino afin d'espacer ses visites aux toilettes, tout en croyant qu'il demeure, malgré tout l'argent qu'il a déjà perdu, maître du hasard ?

Dès 1928, Freud écrivait que le jeu n'est pas un vice, mais plutôt un symptôme de névrose. Il s'agit là, dira-t-il, d'une forme spécifique de déculpabilisation reliée à l'enfance. En accord avec sa théorie du complexe d'Œdipe, Freud percevait en effet dans le jeu une forme de déculpabilisation nécessaire à la volonté inconsciente qu'a l'enfant de prendre la place de son père auprès de sa mère. Le gain ou le rêve du gain étant, dans un premier temps, l'expression de la toute-puissance infantile et la perte étant, dans un second temps, la forme d'autopunition nécessaire au joueur pour réprimer cette régression infantile socialement inacceptable. En ce sens, le jeu serait donc perçu par le joueur comme une forme de transgression de l'ordre établi. D'où son association première, presque naturelle, avec le monde interlope [46].

Mais ce ne sera qu'à partir de 1958 que le jeu sera reconnu dans les milieux psychiatriques comme une maladie mentale et qu'il sera étudié comme tel. Ce sera le psychiatre Edmund Bergler qui, dans son livre *The Psychology of Gambling*[47], établira scientifiquement que le joueur compulsif est bel et bien un névrosé, comme Freud l'avait pressenti. C'est un névrosé qui possède le désir inconscient de perdre, et cela, bien qu'il considère consciemment que le gros lot lui revient entièrement. Sans entrer dans les détails complexes de cette approche, disons qu'à partir d'Edmund Bergler et, un peu plus tard – en 1987 –, grâce aux travaux considérables du Dr Richard J. Rosenthal, le jeu compulsif sera étudié comme une forme spécifique de maladie mentale.

En 1972, le docteur Robert Custer mettra sur pied le premier centre mondial de traitement pour joueurs compulsifs et, dès 1980, l'Association américaine de psychiatrie classera officiellement le jeu comme une forme spécifique de maladie mentale. Un peu plus tard, ce sera au tour de l'Organisation mondiale de la Santé de faire de même.

Bergler concluera que, carencé affectivement par sa mère pendant la prime enfance, le joueur compulsif mène un combat pour contraindre le hasard à se montrer particulièrement bienveillant à son égard. Inconsciemment, il sait cependant qu'il va tout perdre, exactement de la même manière qu'avec sa mère il fut toujours perdant. Le jeu est donc l'expression de tendances masochistes : le joueur est un masochiste qui aime être puni. Lorsqu'il joue, il est en révolte contre ses parents. Et lorsqu'il perd, il est content car il est libéré de sa culpabilité.

Dans ce combat absurde, le joueur entre alors, explique encore Bergler, dans un état d'hyperactivité maladive. Possédé par le jeu, il jouera sans cesse et cela à toutes les heures du jour et de la nuit. Selon Ernest Simmel, également psychanalyste, c'est cette soif insatiable de plaisir-déplaisir qui non seulement anime le joueur, mais aussi qui l'empêche de cesser de jouer. Le jeu apparaît alors au joueur comme la seule façon qu'il a d'échapper à la souffrance engendrée par le refoulement d'une situation pénible provenant de sa prime enfance.

Ce qui motive le joueur, c'est donc la participation à un enjeu psychologique, un enjeu si important qu'il dépasse de beaucoup le simple enjeu matériel du montant à gagner, montant que, de toute façon, le joueur compulsif rejouera et ne conservera jamais. En effet, s'il a le bonheur de remporter un lot, il considérera cela à prime abord comme un signe du ciel voulant qu'il soit sur le point d'être enfin reconnu à sa juste valeur. Aussitôt, cependant, il s'empressera de rejouer la somme gagnée, et cela indéfiniment, c'est-à-dire jusqu'à ce que les lois de la probabilité le rejoignent et le jettent dans la dèche. Il actualisera ainsi ce qu'il désire inconsciemment au fond de lui-même : la confirmation de son destin, celui d'un être éternellement mal-aimé.

Lorsqu'on lit le récit autobiographique *Rien ne va plus*, de l'ex-joueur compulsif Raynald Beaupré, on est frappé par le côté parfois enfantin du narrateur. En effet, à plusieurs reprises il se dit content et ravi de recevoir des cadeaux de Loto-Québec ou de se voir offrir à l'occasion des repas gratuits de la part du casino. Bien qu'il nous décrive ces cadeaux comme étant plutôt insignifiants – stylos plumes, montres de pacotille, etc. –, tel un enfant qui se voit reconnu, Beaupré semble y avoir été particulièrement sensible. Comment expliquer autrement que par l'inconscient qu'un joueur adulte et mature comme Beaupré accorde autant d'importance à des bébelles de si peu de valeur alors qu'à chaque soir, selon son récit, il engouffrait d'énormes sommes d'argent au casino ?

Évidemment, Loto-Québec saura bien utiliser cette « faiblesse » du joueur en créant sa fameuse carte Privilège qui donne la possibilité à celui-ci d'accumuler des points en vue de l'obtention de cadeaux. Ainsi, plus le joueur passe de temps à jouer, plus il amasse de points, ce qui lui donne droit à toutes sortes de petits cadeaux inutiles frappés à l'effigie de Loto-Québec. On peut évidemment comprendre la raison d'être d'une telle carte de fidélisation dans un casino comme celui de Las Vegas ou d'Atlantic City où chacun tente par tous les moyens de garder sa clientèle de joueurs, compte tenu de la grande concurrence entre les différents casinos. On voit mal cependant quelle en est la raison d'être au Québec alors qu'il règne un monopole sur les jeux de hasard et que tous les casinos appartiennent au même propriétaire. La seule raison d'être de cette carte Privilège ne peut être alors que d'encourager les joueurs à parier le plus longtemps possible. Car, on le sait, compte tenu des lois de la probabilité, c'est le temps qui représente pour le joueur le plus grand des dangers. Plus longtemps il jouera, plus il perdra !

Le jeu : une maladie incurable

Les principales caractéristiques du joueur compulsif sont les suivantes : il aura tendance à cacher ses billets de loterie à sa famille ou à ses amis. Il augmentera progressivement les sommes misées afin de se maintenir dans un état d'excitation suffisant. Il mentira à son entourage pour dissimuler l'ampleur réelle de ses habitudes de jeu ou de ses pertes et, dès qu'il sera empêché de jouer, il deviendra irritable et agité. Il préférera aussi s'isoler pour jouer. Il aura tendance à miser de plus en plus frénétiquement en planifiant et en réfléchissant sans cesse à de nouvelles tactiques de jeu. Finalement, disons que le joueur compulsif est beaucoup plus souvent un homme qu'une femme – environ 65 % d'hommes pour 35 % de femmes.

La question que tout le monde se pose est de savoir si une telle maladie mentale se soigne. À cet égard, il y a lieu d'être très prudent : selon tous les experts, le jeu est l'une des dépendances les plus difficiles à traiter, particulièrement lorsque la dure réalité de la vie rattrape l'ex-joueur, et qu'il se retrouve sans travail et avec des créanciers à ses trousses. Même en administrant un traitement en cure fermée d'une durée de 28 jours, les statistiques montrent que seulement 2 personnes sur 13 cesseront complètement de jouer. Et pas moins de 50 % des personnes qui ont demandé de l'aide abandonneront le traitement offert en cours de route. Enfin, même une fois le traitement complété, chez les adeptes de loterie vidéo notamment, le taux de rechute est énorme, soit de l'ordre de 90 % ! Malheureusement, c'est surtout auprès des appareils de loterie vidéo que se retrouvent le plus de joueurs compulsifs : 95 % en sont des adeptes inconditionnels.

En fait, ces ex-joueurs nécessitent un suivi constant après leur traitement, et cela jusqu'à la fin de leurs jours. Ce n'est pas parce qu'un joueur a demandé et obtenu de l'aide d'un centre de traitement qu'il faut croire que tout est réglé et qu'il est définitivement hors de danger. Au contraire, c'est lorsqu'il a terminé sa thérapie que le plus difficile pour lui est à venir. C'est d'ailleurs pourquoi, dans la plupart des maisons de traitement, on offre aux joueurs et à leur famille un soutien psychologique permanent et les services d'un conseiller financier.

Comme l'expliquent les journalistes Claude Marcil et Marie Riopel dans leur livre *Les obsédés du jeu* [48], la maladie du jeu est incurable. On peut arrêter certains de ses effets destructeurs en la contrôlant et, à partir de là, réussir à rétablir le malade, mais on ne peut la guérir complètement. Ainsi, tout comme le diabète, le jeu compulsif se soigne mais ne se guérit pas.

Partant du principe que le jeu est une maladie et qu'il a sûrement, de ce fait, des causes d'ordre physiologique, plusieurs chercheurs américains tentent présentement de traiter le problème à l'aide de médicaments. L'idée est d'enrayer l'effet euphorique provoqué par le jeu à l'aide de calmants. Pour ce faire, le lithium et certains antidépresseurs ont été administrés aux joueurs, sans toutefois trop de succès. Au Québec, on propose parfois ce genre de médicaments au joueur après son traitement afin de lui éviter des rechutes. Les recherches se poursuivent en ce domaine. Évidemment, compte tenu du nombre grandissant de malades du jeu, il y a là pour les compagnies pharmaceutiques une véritable mine d'or en perspective.

Mais, de toutes les méthodes de traitement, c'est la méthode qu'utilisent les Gamblers anonymes qui semble la plus populaire auprès des joueurs eux-mêmes. Le grand succès de ce groupe repose sur l'idée que l'on fait d'abord prendre conscience au joueur qu'il n'est pas, en tant que joueur compulsif, comme tout le monde et qu'en tant que tel, il peut succomber de nouveau au jeu en tout temps. Une fois cette troublante réalité admise et acceptée par le joueur compulsif, on lui demande simplement d'arrêter de jouer pour les prochaines 24 heures. Ce sera là au départ la seule exigence du groupe envers lui. Évidemment, pour un joueur compulsif, ne pas jouer de toute la journée représente déjà en soi un défi énorme.

Contrairement aux traitements dit cognitifs où il s'agit de raisonner le joueur en tentant de lui faire accepter rationnellement l'idée que le jeu n'est pas bon pour lui, aux Gamblers anonymes on est beaucoup plus réaliste : on explique franchement au joueur qu'il a un grave problème et que ce n'est que progressivement qu'il arrivera à se départir de sa névrose obsessionnelle.

Pour le groupe des Gamblers anonymes, même si le joueur rechute une journée, ce n'est pas grave. Il n'aura qu'à redoubler d'efforts le jour suivant. « Demain est un autre jour » et il verra alors ce qu'il pourra faire. Même les ex-joueurs les plus déterminés à ne plus jamais jouer peuvent à tout moment rechuter.

Prenons l'exemple de Claude, un ex-joueur travaillant actuellement à la Maison du Père, qui dira : « Je me déteste énormément quand je me regarde dans le miroir. Et puis, je me dis que si j'y retournais, peut-être que je gagnerais... » On voit par ces mots toute la détresse qu'exprime l'ex-joueur pour qui le démon se situe à chaque coin de rue, c'est-à-dire dans chaque brasserie ou dans chaque restaurant où l'on retrouve les machines de loterie vidéo de Loto-Québec.

Ce principe de 24 heures d'abstinence est fondamental chez les Gamblers anonymes. Par cette approche simple mais réaliste, on donne enfin l'heure juste au joueur et on cesse de le berner avec des pseudo-traitements qui l'infantilisent ou ne veulent que masquer sa dépendance réelle au jeu.

Selon le psychiatre et psychanalyste Richard J. Rosenthal, en cachant au malade son état véritable, on lui communique le message suivant : il n'a pas à régler ses anciens traumatismes ; il n'a besoin que d'éviter les émotions inconfortables et les conflits intérieurs. Selon lui, une telle approche ne peut jamais être efficace, sinon à court terme, car il est évident qu'à la longue elle ne fait que justifier et renforcer chez le joueur ce qu'il tente de faire lorsqu'il joue : fuir [49] !

Plus profondément cependant, la question est de savoir si le jeu n'est qu'un symptôme d'un problème plus profond chez l'individu, comme Freud et les psychanalystes le pensent, ou si l'offre grandissante de jeu est elle-même, en tant que telle, la cause du problème. C'est ce paradoxe non résolu qui explique les différentes formes de traitement actuellement proposées au joueur. Mais, de plus en plus, la tendance veut que l'on s'oriente vers des traitements qui prennent simultanément en compte ces deux aspects.

L'offre de jeu, semble-t-il, serait elle-même un facteur déterminant ou du moins déclencheur. Car il est aujourd'hui clairement établi que cette maladie se développe proportionnellement à l'offre et à la disponibilité du jeu sur un territoire donné. Mais il semblerait également que, compte tenu d'antécédents personnels, il existerait chez certains individus une prédisposition plus marquée au jeu. Toutefois – et c'est là le principal problème – tant que la maladie ne s'est pas manifestée, on ne peut pas, considérant l'état actuel des recherches, détecter à l'avance dans la population qui sont vraiment les individus à risque. Faut-il alors attendre que la maladie se manifeste pour agir ? Ne vaudrait-il pas mieux mettre toutes les chances de notre côté et enrayer tout de suite une offre de jeu trop présente, et cela, indépendamment du fait que le jeu soit dabord un symptôme ou une cause ?

Robert Ladouceur et son équipe de l'Université Laval : des psychologues de service pour Loto-Québec

Mais tous ne sont pas de cet avis. Pour le psychologue Robert Ladouceur, par exemple, l'offre de jeu n'est pas mauvaise en soi. Tout est une question de contrôle de soi de la part de l'individu. Contrairement à la cigarette, déclare-t-il, le jeu peut même être bénéfique si l'on sait en garder le contrôle [50]. D'ailleurs, Ladouceur n'emploiera pas l'expression « jeu compulsif » mais lui préférera plutôt celle de « jeu excessif »... Ce psychologue n'hésite pas à réduire la maladie du jeu à une simple question de perception. Si des joueurs connaissent des problèmes de dépendance, dira-t-il, c'est uniquement parce qu'ils comprennent mal la nature du hasard. Pour le traitement des joueurs compulsifs, Ladouceur créera alors une méthode où il s'agit d'expliquer rationnellement aux joueurs que le hasard est imprévisible et qu'ils ont donc tort de compter sur ce dernier pour effectuer des gains d'argent.

Autrement dit, cette méthode considère le joueur comme un imbécile qui agit par manque d'intelligence. Ladouceur et ses brillants acolytes psychologues de l'Université Laval croient qu'en expliquant au joueur son erreur de perception, le tour sera joué, et qu'il ne jouera plus ! On présume donc que le joueur compulsif contrôlera ensuite rationnellement son envie de jouer. Un peu comme si l'on croyait qu'après avoir bien expliqué à un cocaïnomane les méfaits de la cocaïne, il saura en prendre avec modération...

Voilà une approche pour le moins naïve, pour ne pas dire insignifiante ! Plutôt que de chercher les véritables causes de la dépendance du joueur et de tenter d'en analyser les sources avec lui, on se contente d'en contourner les effets en l'infantilisant.

Le traitement accompagnant l'approche du psychologue Ladouceur dure une heure par semaine et s'échelonne sur quinze semaines. Suite à ce traitement pour le moins expéditif, on suggérera au joueur de jeter son dévolu sur autre chose, soit le golf, les quilles ou la lecture. On imagine mal comment un ex-joueur compulsif pourrait, suite à ce traitement simpliste, se retrouver assis bien paisiblement dans un lazy-boy en train de feuilleter calmement les pages d'un magazine, ou encore, se concentrer devant une allée de quilles. On l'imagine plutôt retourner frénétiquement vers les tables de jeu ! C'est d'ailleurs l'approche Ladouceur, inspirée des théories cognitivistes très à la mode aux États-Unis – Skinner et Cie –, qui sert de base à la mise en place du ridicule programme Mise sur toi de Loto-Québec.

Cette approche baigne dans l'illusion qui consiste à vouloir faire du joueur compulsif potentiel, qu'il soit jeune ou vieux, un joueur dit responsable, c'est-à-dire un joueur actif mais tout à fait capable de contrôler ses pulsions face au jeu. Ladouceur affirmera au sujet des jeunes : « Je ne veux pas empêcher les jeunes de jouer. Mon but est de les informer sur la fatalité du hasard et sur les dangers de croire qu'on peut l'influencer [51] ».

Voilà évidemment une approche qui fait bien l'affaire de Loto-Québec : réussir à former des joueurs qui savent dépenser leur argent mais, soi-disant, avec assez de modération pour ne pas devenir des joueurs compulsifs à charge. On comprend l'empressement de Loto-Québec à subventionner l'équipe de psychologues de Robert Ladouceur. Par son approche, il réussit en effet magnifiquement à banaliser le rôle pervers de Loto-Québec dans l'accroissement phénoménal du nombre de joueurs compulsifs, en faisant plutôt reposer le poids tout entier du problème sur les épaules des joueurs à risques. Cette approche rejoint également la vision néo-libérale des dirigeants pour qui la réussite ou l'échec d'un individu est strictement une question de responsabilité personnelle.

La plupart des centres de traitements sérieux de joueurs compulsifs à travers la province ont dénoncé l'approche Ladouceur en soulignant son peu d'efficacité auprès des joueurs, pour lesquels le jeu n'est pas une affaire de gros bon sens mais bien une obsession névrotique qui n'a aucun lien avec la raison ou avec l'intelligence de l'individu concerné. Cependant, compte tenu des exigences de Loto-Québec en matière de subventions, ces différents centres, malgré leurs grandes réticences, mais n'ayant d'autres formes de financement, ont dû se plier pendant des années à l'utilisation de la méthode Ladouceur imposée par Loto-Québec. C'est ainsi que le centre Dollard-Cormier recevait une subvention de 300 000 dollars à la condition expresse qu'il établisse un programme de traitement du jeu compulsif sous le contrôle de Robert Ladouceur et de son équipe de l'Université Laval.

Alain Dubois, intervenant à ce centre, n'ira pas cependant avec le dos de la cuillère dans ses commentaires : « Plusieurs de ces centres ont donc adopté ce modèle, même si celui-ci ne correspond pas à leur approche clinique pour les toxicomanes. Pourquoi ? Parce qu'entre autres, il y avait beaucoup d'argent en jeu et qu'ils étaient empressés d'obtenir pour leur centre sous-financé de l'argent neuf ».

Monsieur Dubois ajoutera aussi : « Selon des témoignages reçus, plusieurs cliniciens ne croient pas en ce modèle de traitement [...]. Certains d'entre eux ont tenté de le contester, mais ils se sont heurtés le plus souvent à des collègues et des supérieurs surtout soucieux de conserver leurs subventions et leurs jobs [52] ».

Dans son article intitulé « Traitement psychodynamique pour le jeu pathologique » [53], la psychologue Christine Tassé souligne le manque de disponibilité de traitements adéquats sur le territoire québécois. Compte tenu de la croissance exponentielle du nombre de joueurs ces dernières années au Québec, elle signale l'urgence de trouver des traitements efficaces pour une clientèle qui, pendant de nombreuses d'années, a été laissée pour compte par le ministère de la Santé et des Services sociaux du gouvernement. Madame Tassé propose notamment la mise en œuvre des traitements mis au point par Blume en 1986, de même que par Jacobs et Lesieur en 1991.

Bien que monsieur Ladouceur dise à qui veut l'entendre que sa méthode de traitement est la meilleure et qu'il obtient un taux de réussite de 86 %, tous les intervenants dans le milieu savent que ces chiffres sont faux. D'une part, plusieurs sujets sont éliminés dès le départ du traitement parce qu'ils sont dits « non coopératifs » et, d'autre part, M.Ladouceur n'effectue pas de suivi des patients traités au-delà d'une année. Or, on le sait, dans le cas du jeu compulsif, c'est dans les trois années qui suivent le traitement que l'évaluation du patient est la plus significative.

Par exemple, pour 22 sujets en traitement, 9 seulement serviront à l'évaluation de la valeur du traitement. Ladouceur ne tenant pas compte dans ses calculs des 8 patients qui ont abandonné et des 4 qui n'ont jamais complété le suivi. Signalons enfin que l'échantillonnage dont se sert Ladouceur pour évaluer l'efficacité de son traitement est minuscule [54].

Le psychologue Ladouceur a même effectué la tournée des écoles du Québec avec une cassette vidéo produite au coût d'environ 45 000 dollars, dans laquelle il met en scène sa vision positiviste du jeu auprès des tout jeunes. S'agit-il de faire de la prévention ou d'éveiller le jeune d'à peine 12 ou 13 ans à l'existence de Loto-Québec et de ses nombreux produits ? Peu importe les intentions de Loto-Québec, rétorque monsieur Ladouceur, l'important, c'est que Loto-Québec met généreusement à la disposition des chercheurs des fonds qui ne seraient pas disponibles autrement [55].

La progression du nombre de joueurs compulsifs chez nous est effarante : entre 1989 et 1996, la proportion de joueurs compulsifs est passée de 1,2 % à 2,1 %. Si la méthode Ladouceur avait été efficace, cela aurait paru dans ces chiffres. Mais il n'en est rien. Cependant, il faut dire que, depuis 1996, plus personne ne s'entend sur le nombre exact de joueurs compulsifs : selon différentes études, cette proportion se situerait aujourd'hui quelque part entre 2,4 % et 6 % de la population. Certains, comme Étienne Lizotte de la Clinique d'aide aux joueurs compulsifs de Hull (l'ONISAC), déclarent que c'est en réalité 8 % de la population qui est touchée par les problèmes reliés au jeu. Face à pareille augmentation, la valeur de la recherche universitaire et de ses méthodes de traitement du jeu subventionnées à grands frais par Loto-Québec ne perd-elle pas toute sa crédibilité ?

Devant ce constat, monsieur Ladouceur propose plutôt le chiffre de 2,1 % de la population. Étienne Lizotte rétorque avec aplomb que, financé par Loto-Québec, le psychologue Ladouceur a tout intérêt à diminuer le nombre des victimes du jeu [56]. À mettre tant d'efforts à banaliser le jeu et ses effets pervers, de quel côté se situent réellement monsieur Ladouceur et son équipe ?

Quels sont les fonds auxquels a eu droit le psychologue Robert Ladouceur de la part de Loto-Québec ? Pour sa recherche sur la prévention du jeu pathologique, il aurait reçu, selon les estimations d'Alain Dubois du centre Dollard-Cormier, 1 765 000 dollars. Son équipe de chercheurs de l'Université Laval – son fameux Centre d'excellence – a eu droit en 1997 à une subvention de départ de 350 000 dollars et à une subvention annuelle de 500 000 dollars pendant les cinq années suivantes. De plus, le Centre québécois pour la prévention et le traitement du jeu de l'Université Laval, dans lequel est aussi impliqué monsieur Ladouceur, recevait 675 000 dollars chaque année [57].

Notons que c'est ce même Robert Ladouceur qui agit actuellement à titre de témoin-expert psychologue pour le compte de Loto-Québec dans le fameux recours collectif entamé par 120 000 ex-joueurs compulsifs contre Loto-Québec. Combien touchera notre bon psychologue pour cet autre petit service rendu à Loto-Québec ?

À l'Université du Québec à Montréal (UQÀM), un groupe de chercheurs du département de psychologie, également dûment subventionnés par Loto-Québec, remettait un « gratteux » de Loto-Québec en guise de récompense à ceux qui avaient accepté de répondre à leur questionnaire « scientifique » sur les habitudes de jeu [58].

Il n'est donc pas surprenant d'apprendre que plusieurs personnes œuvrant dans le milieu des joueurs compulsifs, écœurées de ce patronage, réclamaient depuis longtemps des recherches scientifiques indépendantes du programme subventionné par Loto-Québec. Telle fut, entre autres, la demande formulée au ministère de la Santé et des Services sociaux par la Fondation québécoise d'aide aux joueurs compulsifs (FQAJC). Pourquoi, interrogeait-on, le traitement accordé aux joueurs compulsifs doit-il absolument relever de Loto-Québec ?

Dans une résolution adoptée par le Conseil des commissaires de la Commission scolaire de Montréal (CSDM) le 11 septembre 2002, il a été demandé que Loto-Québec ne joue aucun rôle dans les campagnes de sensibilisation visant à endiguer le phénomène du jeu compulsif chez les jeunes. En entrevue, l'un des commissaires à l'origine de cette initiative, M. Guy Vidal, explique qu'il est primordial que Loto-Québec soit exclue de toute initiative visant à prévenir le jeu compulsif : « Leur business, c'est de faire de l'argent. Ils sont en conflit d'intérêts lorsqu'ils s'occupent de prévention [59] ».

Par ailleurs, il est déplorable de constater que pendant toutes ces années, des centres d'aide non universitaires montés à bout de bras par d'ex-joueurs compulsifs, telle la Maison Claude-Bilodeau de Sainte-Marie-de-Beauce, devaient se contenter des miettes que voulait bien, à l'occasion, leur laisser Loto-Québec. Ce n'est qu'en juin 2000, suite aux commentaires négatifs du vérificateur général du Québec sur la façon dont s'effectuait la recherche sur le jeu au Québec, que le gouvernement du Québec décida de retirer Loto-Québec de l'ensemble de la gestion des recherches sur le jeu et de confier plutôt le tout au ministère de la

Santé et des Services sociaux. C'est notamment ce ministère et non plus Loto-Québec qui, depuis 2001, par l'entremise d'un organisme indépendant, s'occupe désormais du processus d'attribution des subventions à la recherche universitaire. Fini les pots-de-vin aux amis chercheurs !

Les coûts sociaux astronomiques du jeu

Au Canada, selon une importante étude de l'Université du Manitoba, chaque joueur compulsif coûterait au Trésor public plus de 56 000 dollars par année [60]. Selon une autre étude, américaine cette fois, les coûts seraient plutôt de l'ordre de 13 200 dollars par année par joueur [61]. Si l'on applique ne serait-ce que ce dernier montant à la situation au Québec, c'est plus de 2 milliards de dollars par année que coûterait à la société l'ensemble des joueurs compulsifs actuels, soit plus que ce que le jeu rapporte financièrement au gouvernement québécois.

On arrive à ces montants à première vue incroyables en additionnant le coût des services de santé et des services sociaux reliés au jeu pathologique (notamment les problèmes familiaux entraînés par le jeu, de même que de nombreux problèmes de santé physique : migraines, problèmes gastriques, insomnie chronique), le coût de la sécurité publique (vols et fraudes liés au jeu), le coût des frais d'administration de justice (en raison des faillites subies par les joueurs), de même que le coût des impôts impayés et de l'aide sociale versée pour cause de perte d'emploi.

Notons au passage que si les coûts sociaux du jeu sont, comme on vient de le voir, si difficiles à mesurer avec précision, c'est qu'ils sont a priori invisibles. En effet, ils se répartissent de manière diffuse entre les différents ministères et institutions tant de niveau fédéral, provincial que municipal. Ces coûts sont nulle part et partout à la fois. Ils n'apparaissent pas directement dans les livres comptables du gouvernement. C'est uniquement par des recherches et des analyses compliquées qu'on peut parvenir à les déduire. Il reste qu'en bout de ligne, c'est quand même nous tous qui, à travers nos taxes et nos impôts, les absorbons.

Au chapitre familial, on note un taux élevé de divorce, de même que plusieurs cas de dépression chez les conjoints ou conjointes de joueurs compulsifs. De plus, comme la vie familiale est perturbée, on dénombre de nombreux échecs scolaires chez les enfants des joueurs. Dans les cas où le joueur se suicide en 1999, à tous les onze jours, une victime du jeu se suicidait au Québec, les répercussions à court, moyen et long terme de cet événement sont terribles, tant au point de vue psychologique que financier, pour tous les membres de la famille.

Pire encore est peut-être le cas de ces joueurs qui, criblés de dettes, choisissent de disparaître complètement sans laisser d'adresse. On peut à peine mesurer l'impact financier et psychologique d'un tel comportement sur une famille ainsi abandonnée par le père ou la mère.

Au niveau de l'emploi, une recherche québécoise menée auprès d'un groupe de joueurs compulsifs a démontré que 66 % d'entre eux avaient manqué un nombre important de journées de travail à cause du jeu, que 37 % avaient volé jusqu'à 5 000 dollars annuellement à leur employeur et que plus de 36 % d'entre eux avaient été carrément remerciés par leur employeur [62]. Bien qu'en général très actif et travaillant, l'individu devenu obsédé par le jeu deviendra vite très peu productif à son travail.

Cette recherche a également démontré que, parmi ce groupe, 17 % avaient commis des vols à l'étalage afin de vendre les articles volés pour pouvoir jouer davantage ou pour payer des dettes de jeu. On dénombre aussi parmi les crimes de ce genre, des détournements de fonds, de la contrefaçon de chèques, des faux dépôts, des vols d'amis, de parents ou de collègues de travail, des fraudes envers des compagnies d'assurance, des fraudes fiscales, des vols de cartes de crédit et, dans certains cas, des vols à main armée.

Rappelons-nous comment une fonctionnaire de la Société d'assurance automobile du Québec, devenue joueuse compulsive, avait vendu des renseignements aux motards pour avoir de l'argent pour jouer. Rappelons également qu'une directrice de l'école secondaire Père-Marquette, aux prises avec un grave problème de jeu, a détourné 13 000 dollars de son école. Et signalons que, juste avant de se tuer, un résidant de Charlesbourg âgé de 38 ans, ruiné au jeu, planifiait de commettre des vols à l'aide d'une bombonne de poivre de cayenne pour s'en sortir [63].

Intelligents et rusés, ces joueurs sauront étirer au maximum l'élastique de leur crédit avant de tomber dans les pattes d'un *shylock* du casino ou d'un des nombreux prêteurs sur gages de la ville [64]. D'ailleurs, ceux qui croient que le fait de légaliser le jeu met fin aux activités illégales de la pègre se trompent grandement... Au moins un joueur sur cinq fera appel à l'un de ces prêteurs à taux usuraires. De plus, au Québec seulement, il se gage illégalement environ un milliard de dollars par année en paris de toutes sortes, dont plus de 70 % uniquement sur le territoire de la CUM. La plupart de ces paris sont placés via des bookmakers professionnels qui prennent entre 50 000 dollars et 250 000 dollars de paris par semaine [65].

Toujours selon cette recherche, 28 % des joueurs compulsifs ont déclaré faillite pour des montants allant jusqu'à 150 000 dollars. Les centres d'hébergement pour sans-abri regorgent d'ex-joueurs. Le directeur de la Old Brewery Mission, Adrian Bercovici, estime à une personne sur cinq le nombre des victimes du jeu fréquentant son centre d'hébergement. À la Maison du Père, sur les 960 nouveaux sans-abri recueillis en l'an 2000, 175 étaient des victimes directes du jeu. Et, parmi celles-ci, on a noté que 90 % ont eu des pensées suicidaires.

Selon les données compilées par François Houle du Bureau du coroner du Québec, alors que nous ne parlions que de six suicides reliés au jeu en 1997, 31 personnes se sont donné la mort à cause du jeu en l'an 2000 seulement. À Boisbriand, un homme s'est pendu après avoir joué et perdu 70 000 dollars issus de ses REER. De 1999 à 2001, 73 personnes se sont enlevé la vie au Québec à la suite de problèmes de jeu.

Huit pour cent de ces joueurs compulsifs aboutiront en prison. Et pour eux, c'est la pire des choses : selon le témoignage d'un de ces ex-joueurs condamnés à la prison, plusieurs prisonniers s'adonnent sans problème aux jeux d'argent dans les murs de la prison. Ainsi, à sa sortie, après des années de pratique, notre joueur est fin prêt pour retourner au casino et pour s'endetter de nouveau [66] !

« Tout va très très bien… », se contente de dire de son côté notre cher premier ministre. Pourtant, avec l'argent que Loto-Québec entend investir dans les casinos dans les trois prochaines années, on pourrait construire 10 000 unités de logement à prix modique, 6 hôpitaux, ou encore, 10 très grandes bibliothèques ? Tel Louis XIV, enfermé jadis à Versailles avec sa cour, notre premier ministre et ses petits amis du Parti Québécois sont, je crois, complètement débranchés de la réalité.

Monsieur Landry s'est-il seulement déjà arrêté à penser combien coûte réellement à l'État chaque joueur compulsif de plus dans la province ? Et sait-il seulement qu'il y en a déjà 180 000 dans la province dont il est le premier ministre ? En faut-il vraiment d'autres lorsqu'on sait que la facture totale à défrayer pour les contribuables québécois en frais divers pour ces joueurs compulsifs est déjà de 2 milliards par année ?

À quoi bon engranger 1,4 milliard de profits quand cela coûte d'autre part 2 milliards en frais sociaux pour le faire ? Où se situe la logique dans tout cela, monsieur le premier ministre ?

Certains diront peut-être que, par ailleurs, Loto-Québec est un grand créateur d'emplois. C'est vrai, mais en soi, créer de l'emploi n'est pas toujours une bonne chose. Est-ce, par exemple, parce que les criminels font travailler beaucoup de gens – des milliers de policiers, d'avocats, de fabricants de systèmes d'alarme et de gardiens de prison –, que leurs activités doivent être encouragées et félicitées ? Eux aussi sont de grands créateurs d'emplois.

Plutôt que d'investir de l'argent dans la construction d'un nouveau casino, il serait beaucoup plus sage que le gouvernement investisse cet argent ailleurs, soit dans le secteur des services publics qui souffrent aujourd'hui atrocement d'un manque de financement, ou encore dans des secteurs clefs de l'économie québécoise. Là aussi, il y a un potentiel énorme d'emplois à développer.

Notons que certains secteurs importants de l'économie québécoise dont dépendent des milliers d'emplois ont été dernièrement acculés à la faillite faute d'aide gouvernementale ; pourtant, ces secteurs, contrairement à celui du jeu, loin de compromettre l'équilibre mental ou économique de la population, sont producteurs d'argent neuf et représentent un apport économique valable et durable. Quelle sorte de carrière voulons-nous donc offrir à nos jeunes diplômés des collèges et des universités ? Celle de croupier dans un casino de Loto-Québec ?

TROISIÈME PARTIE

Le plan d'action 2003-2006 de Loto-Québec : un plan de fou !

Le plan d'action : un énorme bluff !

Loto-Québec nous annonce maintenant en grande pompe un plan de développement de l'ordre de plus d'un demi milliard de dollars pour les trois prochaines années. But officiel de l'opération : attirer la clientèle internationale dans les casinos québécois. Loto-Québec prétend se lancer à la conquête des gros joueurs en leur offrant des installations de grand luxe. Le Québec deviendrait ainsi un havre de jeu pour les gens riches et célèbres du monde entier avec, en avant-scène, un tout nouveau casino, celui du Mont-Tremblant que Loto-Québec compte construire au beau milieu d'un des plus beaux sites naturels de la province. Et vlan pour le paysage ! Le kitch et le clinquant rimeront de plus belle avec le son des machines à sous, les princes du *gambling* international, chaînes en or au cou, venant nous visiter en jet privé.

Loto-Québec croit-elle vraiment innover avec la présentation de ce nouveau plan d'action ? C'est au moins la centième fois qu'on nous annonce la venue de touristes étrangers dans les casinos du Québec. Rappelons qu'à l'origine, le casino de Montréal s'était fixé comme objectif d'attirer de nombreux étrangers. Dès 1992, le ministre du Tourisme d'alors, André Vallerand, avait promis que la clientèle visée ne serait pas la clientèle locale, mais des congressistes et des hommes d'affaires en visite chez nous. Or, rien de tout cela n'a été réalisé : peu de touristes s'aventurent au casino, la population locale ayant compulsivement pris d'assaut toute la place.

Contrairement aux promesses répétées de Loto-Québec, il n'y a pas eu création « d'argent neuf » venant de l'étranger grâce aux casinos, mais la production d'un simple bien de service qui ne rapporte rien à la population québécoise puisque c'est elle qui, en y engloutissant son argent, en assume entièrement les coûts.

Concernant la construction du casino de Charlevoix, on nous promettait la même chose. Or, encore là, malgré la proximité d'un hôtel de luxe, le manoir Richelieu, peu de touristes étrangers s'y sont aventurés – on parle d'à peine 6 % de la clientèle –, la population de Québec et des environs ayant, là aussi, pris toute la place.

Maintenant affiliée aux promoteurs du Mont-Tremblant, Loto-Québec se plaît à nous faire miroiter le même espoir dans un nouveau casino. Il urge à mon avis de démystifier cet autre canular de Loto-Québec et de s'interroger sérieusement non seulement sur la pertinence de la construction d'un nouveau casino au Mont-Tremblant, mais également sur l'ensemble de ce nouveau plan d'action que nous présente Loto-Québec [67].

Par exemple, dans ce plan d'action s'échelonnant de 2003 à 2006, Loto-Québec entend réviser le code vestimentaire de la clientèle afin supposément d'attirer une clientèle plus sélecte. Loto-Québec exigera donc une tenue plus stricte. On se rappellera pourtant que, lors de l'ouverture du casino de Montréal, tel était aussi le code vestimentaire proposé. Le port du jeans, par exemple, y était interdit. Mais cela ne tarda pas à dégénérer : devant une clientèle locale de plus en plus nombreuse et, faut-il le dire, de plus en plus débraillée, Loto-Québec n'a pas eu le choix et revit le code vestimentaire... C'est, depuis, en *costume de jogging* que l'on se présente sans honte au casino. De toute façon, on se demande bien qu'elle pourrait être la tenue plus stricte que Loto-Québec pourrait exiger pour le casino du Mont-Tremblant. Sûrement pas le smoking dans une station de ski.

Serge Chevalier, sociologue à l'Institut national de santé

publique du Québec (INSPQ), considère que Loto-Québec manque souvent de transparence. Nous en avons certainement eu la preuve, une fois de plus, avec ce plan d'action 2003-2006. En effet, à examiner ce plan, beaucoup d'éléments ne sont pas clairs.

Il est notamment pour le moins surprenant d'apprendre que, bien que le casino de Montréal soit un de ceux qui rapportent le moins en termes de clientèle étrangère - moins de 10 % -, c'est celui-ci et non pas celui du Mont-Tremblant qui, en regard de sommes d'argent investies, a été principalement ciblé par Loto-Québec pour attirer la clientèle étrangère. Rappelons que, sur les 575 millions nécessaires selon Loto-Québec pour réaliser son plan, 470 millions (soit 80 %), iraient directement au développement du Casino de Montréal. Cela comprend la construction d'un stationnement étagé sur le terrain de l'ancien Autostrade, la construction d'un monorail reliant ce stationnement au casino, de même que la construction d'une toute nouvelle salle de spectacles de 1 250 places.

Il faut dire que l'achat, en février 2003, de l'île Notre-Dame par le gouvernement du Québec laisse présager le pire. Pourquoi donc le gouvernement tenait-il tant à donner 240 millions à la ville de Montréal pour avoir juridiction sur une île qui, de toute façon, a toujours fait partie du paysage montréalais ? À cette question, M. Robert Laramée, conseiller municipal de Ville-Marie à la ville de Montréal, répondait clairement lors d'une réunion spéciale du Conseil : « le zonage dans l'île Notre-Dame permettrait demain matin tout agrandissement du casino et des installations actuelles de plein droit, sans procédure de consultation, sans même que le conseil d'arrondissement de Ville-Marie en soit saisi [68] ». Notons que quatre conseillers du parti du maire ont affiché ouvertement leur dissidence face à cette transaction et qu'ils ont exigé une consultation populaire sur la question. Mais leurs protestations furent vaines : une telle consultation n'a jamais eu lieu… On peut donc se demander à quoi ressemblera l'île Notre-Dame dans trois ou quatre ans d'ici ? À un gigantesque complexe de jeu, sans doute.

Selon les chiffres fournis avec ce plan, Loto-Québec dit prévoir tirer de cet investissement de 470 millions au Casino de Montréal quelque 30 millions de bénéfices nets annuels additionnels, ce qui, on le remarquera, n'est pas terrible comme rendement, compte tenu de la somme investie. Loto-Québec ne fournit aucun chiffre précis quant à la clientèle dite internationale à prévoir au casino de Montréal, si ce n'est qu'elle estime que cette clientèle devrait probablement doubler. Or, on le sait, cette clientèle n'est actuellement que de 10 %. Sur un investissement de 470 millions, on n'atteindrait donc, selon les meilleurs pronostics, qu'une augmentation de 10 % de la clientèle internationale, ce qui est plutôt dérisoire. Par ailleurs, et curieusement, pour les 75 millions investis dans la construction du nouveau casino à Mont-Tremblant, Loto-Québec prévoit dans ses chiffres un bénéfice net annuel de 20 millions, ce qui est presque autant que pour l'investissement six fois plus élevé de 470 millions à Montréal...

Autre élément bizarre dans ce plan : le stationnement qu'entend construire Loto-Québec au casino de Montréal. Selon le plan présenté, il aurait plus de 4 000 places. Pour quoi faire, demanderont plusieurs ? Depuis quand les touristes internationaux de passage se déplacent-ils avec leur voiture personnelle ? Ne se déplacent-ils pas plutôt en taxi, en autobus ou en limousine ? Pourquoi alors construire un stationnement aussi vaste ? L'investissement au Casino de Montréal vise-t-il vraiment la clientèle internationale comme Loto-Québec se plait à nous le répéter ? On peut sûrement en douter...

Certaines questions se font alors pressantes : quel casino aura vraiment une vocation internationale ? Celui du mont Tremblant ou celui de Montréal ? Si c'est celui du mont Tremblant, pourquoi alors donner 470 millions afin de développer celui de Montréal ? Si c'est celui de Montréal, à quoi bon un stationnement de 4 000 places ?

Signalons d'autre part que, présentement, le casino qui, en termes de clientèle étrangère, rapporte le plus à Loto-Québec, n'est ni celui de Montréal (10 %), ni celui de Charlevoix (6 %), mais celui du lac Leamy de Hull avec environ 50 % d'Ontariens. Pourtant, au chapitre des investissements projetés pour les trois prochaines années par le plan, ce dernier casino ne récolte qu'un maigre 20 millions d'investissements sur les 575 projets. Où est donc la logique dans ce plan ?

Toute cette confusion et ces chiffres qui ne concordent pas donnent plutôt l'impression d'un énorme bluff. Coincée entre les accusations d'avoir trop encouragé le jeu compulsif et sa mission de maintenir à tout prix les profits, Loto-Québec se retrouve, je crois, dans l'obligation de sonner à toutes les portes et de les entrouvrir toutes sans trop savoir ce qu'elle fait. Que se trame-t-il exactement derrière les murs de Loto-Québec ? Et si ce plan n'est qu'un énorme bluff ne visant qu'à implanter un casino de plus dans la province, qu'on nous le dise franchement et qu'on cesse de nous lancer des chiffres insensés par la tête !

Au sujet du plan d'action 2003-2006 de Loto-Québec, nous poserons deux questions essentielles : premièrement, du point de vue financier, un investissement aussi considérable – on parle de 575 millions de dollars –, peut-il vraiment être rentable ? Deuxièmement, d'un point de vue social, un tel projet est-il moralement acceptable ?

Commençons par la première question, celle de la rentabilité financière. On l'a dit, presque partout dans le monde, le jeu a été légalisé et les gouvernements y voient une occasion en or pour remplir leurs coffres. Notons qu'au Québec, cette part est déjà environ le double de celle que l'on retrouve dans la plupart des États américains, mais moindre que celle de certains autres pays, notamment celle de l'Australie et des pays asiatiques.

Nous faisons donc face à un phénomène mondial et à une industrie du jeu légalisé qui se développe à un rythme endiablé. Or, selon plusieurs experts en la matière, cette vache à lait, nouvellement constituée et encouragée par les gouvernements, risque de se tarir rapidement. En effet, dans plusieurs endroits du globe où les gouvernements ont voulu optimiser exagérément leurs profits provenant des jeux de hasard, le jeu compulsif est vite devenu un fléau national majeur avec des conséquences socio-économiques dévastatrices. Les experts considèrent que la tendance que l'on observe présentement en Australie ou en Asie augure mal : elle risque de se répandre rapidement si les gouvernements locaux ne réagissent pas assez vite et ne ralentissent pas l'expansion de leurs maisons de jeu.

Il est donc à prévoir que, tout comme dans le cas des cigarettes, ces mêmes gouvernements, devant la déchéance sociale qu'entraînera inéluctablement le jeu dans les prochaines années, se verront contraints par des citoyens frustrés d'en limiter progressivement l'accès, voire, éventuellement, de l'interdire carrément. C'est ainsi que l'on peut comprendre les pressions exercées par des groupes populaires à travers le monde pour contrer le jeu. C'est aussi de cette façon que l'on peut interpréter ce qui se passe chez nous avec le recours collectif contre Loto-Québec intenté par 120 000 ex-joueurs compulsifs frustrés et ruinés.

Il n'est donc pas sûr que le contexte mondial se prête encore bien longtemps au développement illimité du jeu. Au contraire, compte tenu des enjeux sociaux qu'il soulève, la saturation de ce marché a déjà été atteinte dans de nombreux pays. Dans ce contexte à venir de remise en question des aléas du jeu, Loto-Québec réussira-t-elle à aller chercher de gros joueurs ailleurs ? Rien n'est moins sûr ! D'ici à ce que se réalise ce haut-le-cœur généralisé des populations locales face au jeu, les derniers soubresauts du jeu mondialisé risquent d'être pénibles.

Déjà, devant l'écœurement et le plafonnement de la clientèle locale, il s'est installé partout dans le monde une concurrence féroce entre les maisons de jeu pour tenter d'aller chercher ailleurs une nouvelle clientèle. C'est ainsi, par exemple, qu'aux États-Unis, où il y a déjà plus de 765 casinos, le Mohegan Sun Casino, dans le Connecticut, a investi 1,5 milliard de dollars en rénovations pour s'assurer d'être dans la course aux joueurs étrangers. Le casino Borgata d'Atlantic City a également investi 1,5 milliard en aménagements de luxe dans le même but. Les trois casinos de Détroit investiront de la même façon 750 millions chacun d'ici 2005. À Niagara Falls, un super casino de 800 millions voué également à la clientèle étrangère ouvrira ses portes en 2004. Et cette liste s'allonge sans cesse. Qu'en sera-t-il en 2006, lorsque Loto-Québec aura dépensé ses 575 millions en investissements ?

Que restera-t-il du marché des joueurs étrangers ? Existera-t-il encore seulement ? Parier 575 millions sur un marché qui risque de s'éteindre de lui-même d'ici une dizaine d'années à même l'argent des Québécois et Québécoises apparaît comme une aventure hasardeuse, pour ne pas dire presque frauduleuse de la part du gouvernement... Nous risquons de nous retrouver avec une pléthore d'installations luxueuses vides de tout joueur étranger, de même qu'avec un casino de plus, celui du mont Tremblant, vide lui aussi de tout étranger. Mais celui-ci fera sans doute saliver les petits joueurs compulsifs d'ici, toujours avides d'un beau voyage en *étobus*...

Et même si, advenant le cas peu probable que ce projet mégalomane fonctionne, une question morale demeurerait tout de même : le Québec doit-il miser sur la déchéance sociale mondiale pour garnir ses coffres ? Car c'est bien de cela dont il s'agit : espérant que le jeu se développe sans cesse et prenne d'assaut toutes les sociétés du globe, créant ainsi davantage de joueurs compulsifs partout à travers le monde, Loto-Québec mise sur la déchéance sociale. Pourtant, qu'il soit québécois, américain, japonais ou russe, un joueur compulsif reste un joueur compulsif. Avons-nous, comme société, à encourager le développement de ce fléau à une échelle encore plus grande ? N'avons-nous pas assez de nous occuper de nos joueurs compulsifs locaux, sans en plus encourager les gens venus d'ailleurs à le devenir ?

Fidèle à son discours déculpabilisant, Loto-Québec nous dit que la clientèle visée n'est pas celle de joueurs compulsifs mais bien celle de gens très fortunés en quête de lieux dans le monde où blanchir leur argent. Si tel est le cas, c'est pire : peut-on accepter davantage l'idée que des riches visiteurs viennent chez nous et fassent, en toute impunité, de l'évasion fiscale aux dépens de leurs concitoyens en venant blanchir leur argent chez nous ? Mais ce n'est sans doute pas là le genre de scrupules auxquels s'arrête Loto-Québec.

Des casinos partout au Québec

Je me souviens d'une époque où l'on pouvait aller au manoir Richelieu, ce bijou d'architecture situé dans une des plus belles régions du Québec, longer paisiblement les berges du Saint-Laurent et y écouter le chant des oiseaux. Malheureusement, depuis que Loto-Québec y a élu demeure, le train-train continuel des autobus apportant des groupes de joueurs de Montréal et de Québec est infernal.

Signalons qu'à chaque année, 100 000 personnes âgées se rendent au casino de Charlevoix en autobus. Loto-Québec finance directement 2 400 de ces voyages organisés. En collaboration avec des agences de voyages, Loto-Québec offre en effet un remboursement de 350 à 450 dollars par autobus à tout groupe de 40 personnes ou plus. Ainsi, pour seulement 8 dollars, ces gens âgés se rendent en autocar de luxe au casino de Charlevoix. De plus, s'ils passent au moins cinq heures à jouer, ils ont droit à un coupon-repas gratuit. Bien que le financement de ces voyages coûte environ 1 million de dollars par année à Loto-Québec, cela reste très rentable, puisque cette clientèle dépense 5 millions de dollars au casino de Charlevoix [69].

L'environnement du manoir Richelieu, tout comme celui de l'ancien pavillon de la France sur l'île Notre-Dame à Montréal, ont été complètement défigurés. Faudra-t-il se plier à l'idée de devoir visiter la région du mont Tremblant de la même manière, c'est-à-dire en oubliant son paysage exceptionnel, pour s'engouffrer, tels des zombies, corps et âme dans son nouveau casino ?

Un casino à Tremblant peut avoir un impact énorme, que ce soit sur la qualité de vie des habitants ou sur l'équilibre économique de la région. Par exemple, depuis l'ouverture du casino à Hull, plusieurs restaurants de la région ont dû fermer leurs portes ; de même, plusieurs faillites personnelles ont été enregistrées.

Le fait que le maire de Tremblant, Pierre Pilon, ait déclaré au début de l'automne 2002 ne pas être au courant d'un pareil projet de casino pour sa ville est indicatif du peu de transparence de Loto-Québec [70]. Pendant que Loto-Québec transigeait déjà avec les promoteurs immobiliers d'Intrawest, la population et son maire étaient tenus dans l'ignorance totale. Le président de la station de ski, Michel Aubin, en discutait aussi, semble-t-il, avec Loto-Québec depuis 1997. On peut comprendre le mutisme d'une société privée comme Intrawest qui n'existe que pour le profit et qui, compte tenu de la concurrence, n'a pas intérêt à dévoiler ses projets d'avenir. Mais qu'en est-il de Loto-Québec qui détient le monopole du jeu ? N'est-elle pas redevable dans ses opérations et dans ses plans à tous les citoyens du Québec ?

Malheureusement, certains médias sont de mèche avec Loto-Québec pour nous cacher la vérité. Ainsi Télévision Quatre Saisons (TQS) a, sans préavis, fait sauter la télédiffusion d'une émission sur Loto-Québec et les malversations du jeu, émission réalisée dans le cadre de sa célèbre série Auger enquête [71]. Ayant soudainement décroché deux contrats d'émissions de Loto-Québec, TQS ne présenta jamais l'émission sur les dangers du jeu ; elle fut remplacée en catastrophe par autre chose. Cette émission devait être la cinquième d'une série de six. Le vice-président, de même que le directeur des programmes de TQS, exigèrent du réalisateur des modifications si importantes qu'elle ne fût finalement jamais présentée.

Pourquoi les citoyens ne seraient-ils pas informés clairement des stratégies de développement de Loto-Québec ? Après Montréal, Charlevoix, Hull et maintenant le mont Tremblant, quel sera le prochain endroit du Québec à avoir l'honneur de recevoir un autre casino ? Loto-Québec est insatiable et, à moins d'une contre indication formelle du gouvernement, ne s'arrêtera sûrement pas là. Des rumeurs courent déjà sur d'autres emplacements possibles : certaines font état de l'implantation d'un casino en Gaspésie, d'autres dans la ville de Québec. Remarquons que, du côté touristique, la ville de Québec est déjà, suivant la nouvelle orientation touristique de Loto-Québec, beaucoup mieux placée que le mont Tremblant dans la course aux casinos. En effet, selon Tourisme Québec, la région immédiate de Québec reçoit trois fois plus de touristes hors Québec que toute la région des Laurentides.

D'autres rumeurs parlent cependant des Cantons de l'Est, tout proches de nos riches voisins américains. D'autres enfin parlent du Grand Nord québécois où de plus en plus de touristes étrangers se rendent pour des vacances exotiques. Ces rumeurs sont-elles fondées ? Des gens de la Gaspésie ont évoqué l'idée d'un casino flottant. Il s'agirait d'un casino sur bateau qui longerait le fleuve et irait ainsi d'une ville à l'autre. Selon l'initiatrice de ce projet, Denise Verreault, une femme d'affaires gaspésienne, cela pourrait se faire pour moins de 10 millions. Suivant son idée, les profits d'un tel casino pourraient servir à financer des événements populaires de la région [72].

Loto-Québec se garde bien toutefois d'acquiescer à un tel projet. Comme toujours, en bonne société d'État secrète qu'elle est, elle préfère cacher son jeu pour le sortir par surprise au moment jugé opportun. Il n'est pas dans les habitudes de Loto-Québec de se faire dicter ses actes par les citoyens.

Quels sont donc les projets réels de Loto-Québec ? Avec combien de casinos se retrouvera-t-on dans 10 ou 15 ans dans la belle province ? 5, 6, 7 ou 8 ? Seront-ils flottants, volants, souterrains ou accrochés à la montagne ? Nul ne le sait ! Les paris sont ouverts… Et, pour ce qui est du nombre exact de joueurs compulsifs à prévoir suite à la mise en place de tous ces casinos et des multiples autres projets d'expansion de Loto-Québec, sortez votre calculatrice, vous en aurez besoin !

Un réseau de minicasinos privés fonctionnant avec la bénédiction de Loto-Québec

Dans le dossier des appareils de loteries vidéo que l'on retrouve dans les bars et les brasseries, le plan 2003-2006 annonce que 24 % des appareils de loterie vidéo seront retirés des bars et des brasseries. Pourquoi 24 %, demanderont plusieurs ? Pourquoi pas 50 %, 75 % ou 100 % ? Selon son plan, Loto-Québec prévoyait que ces appareils soient retirés des bars qui en comptaient moins que trois. Cependant, lors de la Commission parlementaire du 11 février 2003, Pauline Marois recula et ordonna, soi-disant par souci pour les régions, que ce retrait n'ait pas lieu [73]. D'autre part, on annonce qu'en ce qui concerne les établissements qui ont plus de dix appareils, il y aura des exceptions [74]... Lesquelles ? Y aurait-il là des amis à protéger ?

Mentionnons qu'un règlement de la Régie des alcools, des courses et des jeux du Québec (RACJ) stipule formellement que le gouvernement n'accorde pas plus que cinq machines par permis d'alcool. Mais comme certains établissements ont réussi, on ne sait trop comment, à décrocher plus d'un permis d'alcool, ils ont eu droit à autant de machines que de permis. C'est donc un véritable réseau de minicasinos privés fonctionnant avec l'assentiment et la bénédiction de Loto-Québec qui s'est installé. On sait maintenant, grâce à une enquête bien étoffée du journal

The Gazette, que, dans plus de 19 sites de la province, on retrouve non pas 5 – c'est ce qu'un permis autorise normalement –, mais 20 de ces machines de loterie (et même plus).

Selon ce quotidien de Montréal, à certains endroits, on exploite jusqu'à cinquante machines ! Comment se fait-il que la Régie ait de la sorte autorisé un réseau de bars, de brasseries et de tavernes dont l'activité principale est le jeu ?

Plusieurs de ces établissements appartiennent à la pègre locale ou à des proches collaborateurs du Parti Québécois. Par exemple, l'un de ces riches propriétaires qui gère 55 machines réparties dans 4 de ses établissements est un proche associé de Marcel Melançon, leveur de fonds du Parti Québécois et ami personnel du premier ministre Bernard Landry [75].

Dans le même article, *The Gazette* repère et identifie une dizaine de propriétaires, certains exploitant jusqu'à 65 machines de loterie vidéo de Loto-Québec dans leurs établissements. Chaque machine rapportant directement au propriétaire entre 28 000 dollars et 60 000 dollars - la commission accordée au propriétaire par Loto-Québec étant actuellement de 26 % -, on parle donc pour ces propriétaires choyés par le gouvernement, d'un chiffre d'affaires variant entre 700 000 dollars et 1,5 millions de dollars en profits de jeu chaque année. Ces chiffres étonnants ont été compilés et fournis au journal *The Gazette* par Michel Hébert, exploitant lui-même 25 de ces machines [76].

Ces gens-là feront-ils partie des exceptions annoncées à la première page du plan d'action ? Nul ne le sait encore. Pourront-ils conserver l'exploitation de leur minicasino privé avec l'accord de la Régie et de Loto-Québec ? Notons que ce réseau s'est développé principalement dans les régions pauvres de la province. À Montréal, par exemple, on retrouve les plus fortes concentrations d'appareils de loterie vidéo à Saint-Léonard, à Montréal-Nord, à Parc Extension, à Hochelaga-Maisonneuve de même qu'à Pointe Saint-Charles. On n'en retrouve par contre presque pas à Outremont, Westmount, ville Mont-Royal et Notre-Dame-de-Grâce. À Laval, c'est également dans un quartier pauvre situé au sud de Chomedey que l'on en retrouve le plus [77].

Lors du forum sur le jeu pathologique qui se tenait à Montréal en novembre 2001, l'économiste américain William Eadington, de l'Université du Nevada, soulignait que le nombre de machines de loterie vidéo lui paraissait nettement trop élevé au Québec compte tenu du fait que, contrairement au Nevada, c'est ici l'État qui les gère. On compte au Québec un appareil disponible par 515 habitants.

Ce n'est pas en retirant 24 % des machines des bars et en relocalisant 1 570 de celles-ci à l'Hippodrome de Montréal que Loto-Québec va régler le problème criant de dépendance à l'égard de ces machines. Il faut que Loto-Québec aille beaucoup plus loin que cela et les interdise carrément, comme cela se fait dans certains États américains et dans certaines provinces du Canada.

À l'Île-du-Prince-Édouard, on les a fait disparaître des établissements du coin. En Nouvelle-Écosse, le gouvernement les a retirées des dépanneurs. Au Nouveau-Brunswick, on s'apprête à faire de même... Notons enfin que des États américains comme le Vermont ou la Caroline du Sud ont déjà choisi de les interdire. Dans ce dernier État, il y avait 32 000 appareils de loterie vidéo qui généraient pour cet État des profits de l'ordre de 3 milliards de dollars américains. Or, devant la déchéance sociale qu'ils entraînaient, le gouverneur de l'État n'a pas hésité à les interdire complètement. Qu'attend notre gouvernement pour faire de même ?

En 1999-2000, 83 % des appels reçus à la ligne d'aide téléphonique Jeu : Aide et Références, concernaient des problèmes liés aux appareils de loterie vidéo. Signalons que 80 % des revenus de loteries vidéo proviennent exclusivement des joueurs pathologiques [78].

En 2001, ces appareils représentaient presque la moitié du profit total de Loto-Québec, soit exactement 45,5 % de son bénéfice net. En 6 ans, bien que le nombre d'appareils n'ait pratiquement pas changé – on parle de 14 644 appareils en 1995-1996 et de 15 251 appareils en 2000-2001 –, les revenus ont plus que triplé, passant de 310,6 millions à 1,053 milliards. C'est donc dire que ces machines sont aujourd'hui trois fois plus achalandées [79].

Selon Henry Lesieur, une autorité américaine en jeu pathologique, de Providence, Rhode Island, ces machines sont conçues spécifiquement pour garder le joueur accroché le plus longtemps possible. Au bout de six mois accroché à l'une de ces machines, l'utilisateur deviendra automatiquement un joueur compulsif. Ces machines n'offrent aux joueurs aucun stimuli extérieur. D'après le psychanalyste Richard J. Rosenthal, avec ces machines, « *it's gambling for gambling* ». Dès que le joueur l'active, il devient entièrement possédé par elle et tout disparaît autour de lui. La machine ne crée pas d'espace de discussion ou de réflexion avec le joueur, explique Rosenthal. Elle lui fournit une réponse immédiate, sans délai et sans appel [80].

Une seule de ces machines de loterie vidéo rapporte en moyenne 90 000 dollars par année à Loto-Québec. Sophistiquée au possible, elle est programmée pour rapporter en moyenne 180 dollars de l'heure. C'est donc ce que perd en moyenne, à l'heure, le joueur qui s'y accroche... Certains joueurs perdent cependant beaucoup plus que cela. Selon les chiffres fournis par la Société des loteries vidéos du Québec, pour chaque dollar joué, le joueur obtient 92 cents. Or, contrairement à l'époque du jeu illégal où ces machines ne prenaient pas plus que 25 cents à la fois, depuis 1998, les machines de Loto-Québec prennent tout billet de 20 dollars ou moins. On sait par ailleurs qu'à peu près tous les joueurs compulsifs jouent à coup de 20 dollars. Un joueur rapide flambe et perd ainsi en moyenne 1,60 dollars toutes les six secondes – le temps d'une mise de vingt dollars –, soit, à ce rythme, 960 dollars de l'heure. C'est ainsi qu'un joueur comme le montréalais Steven Cloran rapporte y avoir perdu la somme incroyable de 300 000 dollars.

Plusieurs directeurs de bar affirment que c'est sur les conseils de Loto-Québec et de ses représentants qu'ils ont ainsi transformé leur bar en maison de jeu. Ainsi, tandis que personne ne prêtait attention à ce qui se passait – toute l'attention médiatique étant accaparée par les trois grands casinos –, Loto-Québec en profitait pour installer en douce, en collaboration avec la Régie des alcools, un réseau privé de jeu.

Plusieurs clubs de danseuses nues furent sollicités par Loto-Québec pour l'installation de machines dans leur établissement. En décembre 2001, 84 de ces clubs de danseuses en possédaient déjà. Selon le président de la Corporation des propriétaires de bars, brasseries et tavernes du Québec (CPBBT), Renaud Poulin, ce phénomène explique la détérioration du milieu, notamment avec le développement d'activités criminelles reliées au jeu, tel le prêt usuraire.

Comment le gouvernement a-t-il pu tolérer que des cadres supérieurs de la Régie et de Loto-Québec transforment ce qui était à l'origine des bars et des clubs en maisons de jeu ? Qui sont ces gens et pour qui agissaient-ils ? Qui les payait ? Le faisaient-ils sous la pression du gouvernement ou de Loto-Québec ou sous celle de la pègre, ou encore sous celle des députés de comté ?

Mais les 1 500 propriétaires de bar à travers la province ne peuvent plus, selon leur président Renaud Poulin, revenir en arrière. Celui-ci estime à 200 millions de dollars les pertes encourues par le retrait annoncé dans le plan 2003-2006 de 3 500 appareils. Au fil des années, le jeu était devenu pour eux la principale source de revenu sinon, pour certains établissements, la seule. Après avoir créé la dépendance au jeu des joueurs compulsifs, le gouvernement aura ainsi réussi à créer la dépendance au jeu des propriétaires de bars et brasseries. On comprend alors l'empressement de Renaud Poulin à défendre ses membres dans cette affaire. Pour les petits bars qui ont tout misé sur le rendement de ces machines, il s'agit là d'une question de survie.

Compte tenu du rendement élevé de ces machines, certains propriétaires avaient même choisi d'augmenter le prix de leur bière afin de se débarrasser des alcooliques pour faire place aux joueurs compulsifs beaucoup plus rentables. Comme le rapportait le journal *Le Droit* d'Ottawa en janvier 2002, dans certains bars, on faisait pression sur les employés pour qu'ils encouragent le jeu. On leur demandait également d'être tolérant envers la présences de mineurs. Car si une machine ne rapporte pas assez, Loto-Québec la reprend et l'installe ailleurs.

D'après monsieur Poulin, en retirant 3 500 machines des bars, Loto-Québec n'a aucunement pour but de contrer le jeu compulsif mais plutôt de se débarrasser des machines qui ne sont pas assez rentables afin de les relocaliser ailleurs où elles le seraient davantage. monsieur Poulin s'attend à ce que ce soit ceux qui possèdent davantage de machines qui profitent le plus de cette nouvelle politique, puisque c'est dans les minicasinos qu'elles sont le plus fréquentées. Loto-Québec osera-t-elle enlever à ses riches propriétaires des machines si payantes ? Surtout que plusieurs de ceux-ci sont des amis du Parti Québécois. Lors d'un comité de l'Assemblée nationale d'avril 2002, Pauline Marois ouvrait d'ailleurs la porte à cela en affirmant que ces multisites de jeu – c'est ainsi qu'elle appelle les minicasinos privés –, sont avantageux car ils sont plus faciles à contrôler que les petits bars.

Loto-Québec a délibérément tué l'industrie du bingo et des courses de chevaux au Québec

Selon les prévisions de Loto-Québec, au moins 1 570 machines de loterie vidéo seront transférées à l'Hippodrome de Montréal. Celui-ci deviendra alors un casino de plus, mais un casino *cheap* que Loto-Québec préférerait voir fréquenté par son ancienne clientèle de bars, par les clubs de l'âge d'or et, compte tenu du fait qu'aucun code vestimentaire n'y sera exigé, par les personnes à faible revenu. Lieu de rassemblement familial, surtout le dimanche, les jeunes y formeraient également une clientèle de choix.

Officiellement, les revenus fournis serviraient à renflouer l'industrie des courses de chevaux. Officieusement, toutefois, le gouvernement espère la disparition de cette industrie, une industrie qui, faut-il le dire, a été tuée par Loto-Québec qui ne voudrait surtout pas la voir revivre compte tenu du faible revenu qu'elle rapporte.

En effet, contrairement aux machines qui créent une dépendance rapide et payante, les courses de chevaux, avec les connaissances du sport qu'elles exigent du parieur – celui-ci doit en effet connaître l'historique de chaque cheval –, et son système de mises alambiqué, ne créent pas une dépendance très rapide. Selon les spécialistes, la dépendance aux courses de chevaux ne se crée pas avant 10 ans de fréquentation. Le rythme des mises est très lent. On parle ici d'une course aux 20 minutes. Le nombre de programmes de courses y est également limité. De plus, aux courses de chevaux, plus de 79 % du total des montants misés reviennent aux parieurs [81], ce qui est beaucoup plus que les montants retournés aux joueurs par Loto-Québec avec ses loteries et ses machines à sous.

Avec les courses de chevaux, on parle davantage d'un divertissement ou d'un spectacle sportif que d'un jeu d'argent. Il n'est alors pas surprenant de voir le gouvernement du Québec s'empresser avec la collaboration de la Régie et de Loto-Québec, d'en clouer le tombeau et d'annoncer officiellement la fermeture de presque tous les hippodromes du Québec. Ces hippodromes ont pourtant connu des heures de gloire dans le passé. Selon un projet remis à la ministre des Finances, Pauline Marois, les hippodromes de Québec, Trois-Rivières et Aylmer seront transformés en hippoclubs et en minicasinos [82]. En 2002, la Régie des alcools, des courses et des jeux du Québec se fit un malin plaisir d'annoncer que les perspectives d'avenir pour cette industrie étaient peu dynamisantes et que, de toute façon, depuis 1997 – ce qui correspond, comme par hasard, à l'année où Loto-Québec s'est mêlée de la chose –, ce marché est saturé [83].

Remarquons à ce propos que Loto-Québec a également agi de cette façon avec les bingos. Elle offrit d'abord aux organismes sans but lucratif (OSBL) qui exploitaient les salles de bingo de quartier depuis les années 60 d'en prendre les commandes via une nouvelle filiale qu'elle fonda expressément pour ce faire en 1997 sous le nom de La Société des bingos du Québec. Commercialisant les jeux de bingo en réseau, cette nouvelle société prétendit faussement vouloir revitaliser l'industrie du bingo au Québec. Enthousiastes, plusieurs OSBL entrèrent alors en partenariat avec Loto-Québec, croyant aux bonnes intentions de cette dernière. D'autant plus que la société s'engageait à leur retourner la plus grande partie des profits.

Depuis, cependant, le constat est désastreux : en 2001, les quelque 178 organismes sans but lucratif de Montréal qui avaient ainsi fait confiance à Loto-Québec ont accusé une baisse de bénéfices de 10 % par rapport à l'année précédente. Ces organismes ont ainsi dû se contenter de ne partager ensemble que 6,8 millions de bénéfices.

Peu de choses ont été faites par Loto-Québec et sa filiale pour attirer une clientèle composée principalement de personnes âgées vers les bingos. Les prix offerts sont moins intéressants que jamais et les salles de bingo sont pour la plupart vétustes. En fait, tout comme dans le cas de l'industrie des courses de chevaux, tout a été fait pour tuer une industrie jadis florissante. Et, comme par hasard, c'est au casino que l'on retrouvera maintenant cette clientèle de personnes âgées.

Loto-Québec aura réussi à travers sa filiale fantoche à faire perdre tout intérêt pour les bingos de quartier pour plutôt s'accaparer leur clientèle et l'envoyer dans ses casinos. Pourtant autrefois, dans ces bingos, et contrairement aux casinos avec leurs machines déshumanisantes, les gens parlaient, fraternisaient et socialisaient beaucoup. Sans doute trop au goût de Loto-Québec…

QUATRIÈME PARTIE

Loto-Québec : une société d'État généreuse pour ses amis

Loto-Québec aime jouer au Père Noël avec notre argent

En novembre 2002, une publicité télévisée de Loto-Québec intitulée « Une richesse qui nous revient » fut promptement retirée des ondes. Cette publicité laissait croire que c'est grâce à Loto-Québec si le citoyen québécois est instruit et en bonne santé et si l'on a des programmes sociaux. Le jeu se transformait alors, via cette publicité douteuse, en une activité noble et généreuse qu'on se devait, comme bon citoyen, d'encourager [84]. Cette publicité fit bondir en Chambre le chef de l'opposition Jean Charest qui exigea de Gaétan Frigon, alors en vacances quelque part dans le monde, de retirer cette publicité des ondes, ce qu'il fit par téléphone. Cette publicité avait coûté 400 000 dollars aux contribuables.

Malheureusement le scandale s'arrêta là et personne ne fit remarquer ensuite qu'une grande partie la publicité de Loto-Québec est depuis longtemps axée sur ce versant dit corporatif. Loto-Québec se sert par exemple régulièrement d'« infopubs » de 45 secondes – une publicité payée mais déguisée en information – pour vanter les répercussions positives qu'aurait le jeu sur l'emploi. Loto-Québec tente ainsi de convaincre le téléspectateur des bienfaits socio-économiques du jeu pour une région donnée. On y montre entre autres comment une entreprise est devenue florissante grâce au contrat de pattes de chaises que lui a accordé Loto-Québec. Diffusés aux heures de grande écoute, ces messages sont parmi les plus regardés de la télévision [85].

En 2003, dans le journal *La Presse* du 18 janvier, nous retrouvions une page complète de publicité consacrée aux mérites de Loto-Québec. Ainsi, y montrait-on que Loto-Québec a consacré 36 millions de dollars au domaine communautaire, que plus de 180 événements bénéficient du soutien financier de Loto-Québec et que 350 000 dollars de ses profits sont consacrés chaque année à l'achat d'œuvres d'art.

Dans son rapport officiel de 2001-2002, Loto-Québec se vante d'avoir octroyé 30 millions de dollars au ministère de la Santé et des Services sociaux pour le financement de services aux personnes âgées. Loto-Québec se vante également d'avoir versé au Fonds d'aide à l'action communautaire une somme de 14,5 millions de dollars, de même qu'une somme de 2,9 millions au Fonds d'aide à l'action humanitaire internationale.

Toujours selon ce rapport, Loto-Québec se serait également montrée généreuse envers les organismes sans but lucratif (OSBL). C'est ainsi qu'on apprend que 1 174 organismes auraient ensemble reçu l'équivalent de 10,2 millions de dollars. Des organismes sans but lucratif auraient même eu le privilège de se faire connaître grâce à Loto-Québec. En effet, des représentants de ces organismes purent profiter de l'émission de Loto-Québec La poule aux oeufs d'or pour expliquer leur mission à la télévision. De plus, le rapport souligne que Loto-Québec a fourni 6,5 millions pour la réfection d'une route dans la région de La Malbaie [86].

Loto-Québec subventionne également plusieurs évènements spéciaux tels le Grand Prix automobile du Canada, le festival Juste pour rire, le concours des châteaux de sable de Gaspésie, le festival des sucres de Grande Vallée, le festival du pêcheur d'Étang du Nord, etc. En fait, disons que, partout où sa présence risque d'être remarquée et publicisée, Loto-Québec aime bien jouer au Père Noël !

Évidemment les efforts de Loto-Québec dans ces différents secteurs ne visent qu'à redorer son image afin de mieux se faire accepter de la population. Remarquons qu'en termes de pourcentage, compte tenu des sommes astronomiques que Loto-Québec obtient de l'exploitation du jeu, les montants d'aide cités sont insignifiants. Ainsi, par exemple, le montant de 10,2 millions – que se partagent 1 174 organismes sans but lucratif –, ne représente même pas 1 % du profit annuel net de Loto-Québec qui est, rappelons-le, de 1,4 milliards de dollars !

Mais au-delà d'un tel calcul, ce qu'il faut considérer, c'est le fait qu'il est toujours facile de faire la charité avec de l'argent qui ne nous appartient pas. Car c'est bien de cela qu'il s'agit : Loto-Québec se permet de prélever des sommes par le biais de son service corporatif pour les investir là où elle n'a pas d'affaire, c'est-à-dire dans le domaine social, et cela dans le but avoué de se donner l'image d'un bon citoyen corporatif. Cet argent ainsi dépensé par Loto-Québec dans des domaines qui ne sont pas de son ressort devrait normalement aller, comme tous les autres bénéfices de Loto-Québec, directement au Trésor public.

C'est aux différents ministères concernés de gérer les sommes qui leur sont accordées par le gouvernement à partir de leurs priorités respectives. Loto-Québec n'a pas à donner cet argent à droite et à gauche pour se faire des alliés dans la communauté et se construire une image de bon citoyen. Pour faire une comparaison simple, Loto-Québec se retrouve à peu près dans la même situation qu'un voleur qui, après avoir vidé votre maison, vous offrirait, à la condition que vous n'appeliez pas la police, de vous remettre quelques petits objets personnels.

Loto-Québec n'a pas à jouer au mécène. Si elle le fait, c'est uniquement pour nous faire oublier qu'elle vient à chaque année chercher directement dans nos poches 90 % de ses profits, puisque 90 % de sa clientèle est, jusqu'à preuve du contraire, québécoise. En subventionnant différentes activités sportives, de loisirs et artistiques, Loto-Québec veut créer des formes de diversion agréables, espérant peut-être mieux nous faire avaler les

2,4 % de gens d'ici qui sont, à cause d'elle, atteints de la maladie du jeu.

Des œuvres d'art payées vingt fois trop cher !

Depuis plus de vingt ans, Loto-Québec dépense des sommes d'argent importantes dans l'acquisition d'œuvres d'artistes québécois. Sa collection est la deuxième en importance au Canada après celle de la Banque Royale. Tout en se vantant d'encourager l'art et les artistes d'ici, Loto-Québec possède 2 800 œuvres pour une valeur totale d'environ 3 500 000 dollars. On retrouve ces œuvres dans des expositions, aux différents casinos, de même que dans les bureaux des gestionnaires de Loto-Québec. Certaines sont même données en cadeau aux employés au moment de leur retraite.

Parmi les œuvres les plus importantes figure celle, monumentale, de Serge Lemoyne, une murale installée au casino de Montréal. Malheureusement, cette œuvre s'est vue au fil des années défigurée par l'installation de plantes et de différents accessoires hétéroclites tout autour si bien qu'elle a, pourrions-nous dire, disparue dans le décor. Selon Loto-Québec toutefois, cette situation n'est pas grave puisque, somme toute, ces œuvres sont là principalement pour décorer et agrémenter l'endroit. Autrement dit, pour Loto-Québec, ces œuvres achetées à coup de milliers de dollars n'ont pas de vocation artistique spécifique : ce sont de simples accessoires décoratifs [87].

Notons que des trois œuvres majeures achetées lors de l'inauguration du casino de Montréal, il ne subsiste qu'une seule : celle de Serge Lemoyne. Les deux autres, un hologramme de Marie-Christiane Mathieu et une grande tapisserie de Micheline Beauchemin ont été depuis longtemps retirées. L'hologramme de Marie-Christiane Mathieu, par exemple, fut payé 76 000 dollars et ne fut exposé que pendant sept semaines. D'autre part, *Le Signe d'homme*, cette magnifique fresque de cinq mètres de haut de l'artiste français Olivier Debré, créée pour le pavillon de la France lors d'Expo 67, a, semble-t-il, disparu du casino sans laisser de trace [88].

La façon dont est constitué le jury pour la sélection des œuvres en dit long sur la façon dont Loto-Québec considère l'art. Ce jury est formé du conservateur de la collection ainsi que de trois employés de Loto-Québec qui, peu importe leur fonction, ont pour mission de choisir parmi toutes les œuvres soumises par les artistes celles qui seront achetées par Loto-Québec. Quels sont leurs critères de sélection et quelles sont leurs compétences pour faire cette sélection ? On se le demande... Car il semble qu'il n'y ait dans ce jury ni critère, ni compétence particulière en art qui soit nécessaire [89].

Comment de simples employés peuvent-ils ainsi être autorisés à dépenser des milliers de dollars pour l'acquisition d'œuvres d'art ? Accepterions-nous, par exemple, que l'homme de la rue détermine ce qu'il doit y avoir dans nos musées ? Agissent-ils par favoritisme ? Avec une méthode de sélection si peu orthodoxe, on peut penser que certains parents ou amis des membres du jury font partie de la liste des 650 artistes sélectionnés. Chose certaine, Loto-Québec réussit encore là, toujours en se servant de notre argent, à s'assurer du mutisme du milieu des artistes qu'elle achète ainsi à coup de milliers de dollars.

Mais, pire que cela, nous apprenions en février 2003, que la haute direction de Loto-Québec s'était permis de faire fi de ses règles de procédures déjà contestables en achetant directement 26 tableaux à un marchand d'art au passé douteux. Ce marchand, déjà poursuivi plus de 70 fois au civil pour fraude agissait déjà pour la Société des alcools du Québec (SAQ) du temps où elle était dirigée par l'ex-président de Loto-Québec, Gaétan Frigon [90]. Selon la police, certains des tableaux ont été payés jusqu'à 20 fois leur valeur réelle. Un tableau d'Armand Tatossian, par exemple, a été payé près de 20 000 dollars alors qu'il vaut à peine 1 000 dollars sur le marché de l'art [91]. C'est Claude H. Roy, un ami personnel de Bernard Landry, qui avait à l'origine contacté ce marchand d'art pour Gaétan Frigon. Monsieur Roy a été promu par la suite chef de cabinet de Bernard Landry.

Le cas Frigon : un cas d'espèce

Ayant quelques scrupules quant aux lourds dégâts sociaux causés par les loteries, la ministre des Finances du gouvernement québécois, Pauline Marois, avait dit qu'elle ne souhaitait pas une augmentation des ventes de Loto-Québec. Lors de la nomination par le gouvernement de Gaétan Frigon à la présidence de Loto-Québec, elle lui avait clairement indiqué qu'elle préférait qu'il s'en tienne aux acquis actuels de Loto-Québec. Cela aurait été, selon son expression, « une façon humaine de gérer Loto-Québec ».

Avec un chiffre d'affaires de 3,7 milliards de dollars et des profits nets de plus de 1,4 milliard en 2001-2002, on comprend qu'il ne soit pas nécessaire pour le gouvernement d'augmenter des ventes et des profits qui sont déjà exagérés compte tenu du bassin de consommateurs. Malheureusement, en nommant Gaétan Frigon à la tête de Loto-Québec, il n'était pas sûr que Loto-Québec aille dans le sens souhaité par madame Marois. Qui est donc cet individu que le gouvernement était aller chercher pour diriger Loto-Québec ?

Ancien cadre de Métro-Richelieu, Gaétan Frigon est le roi de l'entreprise privée et le champion du marketing. D'abord nommé par le gouvernement à la Société des alcools du Québec (SAQ), celui-ci a d'abord voulu la gérer exactement comme une entreprise privée, c'est-à-dire en maximisant les profits. Grâce notamment à une augmentation non justifiée de la marge bénéficiaire de 25 cents par bouteille vendue, monsieur Frigon a pu présenter un bilan de sortie à la SAQ de 500 millions de profits pour 2002.

Pourtant, quoi qu'en pensait Gaétan Frigon, la SAQ est une société d'État et non une entreprise privée. Or, quel est le but premier d'une société d'État ? Faire des profits ? Sûrement pas, car si l'État a pris en charge la vente des boissons alcoolisées ou celle de l'électricité, ce n'est pas pour en augmenter indûment le prix, mais bien pour s'assurer que le citoyen ait accès à un produit de qualité à un prix raisonnable. Il ne s'agit pas de plumer le citoyen.

Le but d'une société d'État est de servir et non d'asservir. Loto-Québec semble avoir depuis longtemps complètement oublié ce principe fondamental. C'est le citoyen qui, au premier titre, doit profiter de l'existence d'une société d'État, quelle qu'elle soit. Par exemple, loin de favoriser exagérément le jeu, la mission de Loto-Québec consisterait normalement à faire en sorte que le jeu, bien que légalisé, ne prenne pas trop de place dans nos vies et reste un divertissement strictement occasionnel. C'est uniquement en agissant de la sorte que Loto-Québec pourrait se vanter d'agir en bon citoyen.

Il serait d'ailleurs peut-être temps que le gouvernement songe à imposer aux conseils d'administration des sociétés d'État des sièges de représentants de consommateurs, de groupes communautaires, d'environnementalistes, de syndicalistes et, pourquoi pas, de simples citoyens. Ainsi ces sociétés seraient plus aptes à remplir correctement leur mission à l'avenir. Les cadres supérieurs d'une société d'État ne sont pas là pour s'en mettre plein les poches ou pour engranger des profits exagérés et se faire ainsi de petits amis dans le monde politique.

Rappelons comment, le 31 janvier 2002, juste avant de quitter la SAQ, le président sortant de Loto-Québec, Gaétan Frigon, s'était permis de modifier l'échelle des primes des gestionnaires de cette société de façon à ce que ceux-ci, y compris lui-même, touchent le montant maximum de primes. Grâce à une intervention généreuse de monsieur Frigon, sans que ceux-ci y aient droit, quelque 125 cadres de la SAQ ont pu se faire payer à même l'argent des contribuables des primes injustifiées équivalant à 10 % de leur salaire, ce qui représente un montant total d'environ 1 250 000 dollars. Avant de quitter son poste à la SAQ, le maître d'œuvre Frigon a aussi lui-même bénéficié d'une prime de 15 700 dollars en plus de son salaire de 157 000 dollars. On se souviendra que c'est aussi lui qui s'est fait payer par la SAQ une rutilante Jaguar comme voiture de fonction. Plus tard, à Loto-Québec, c'est 234 000 dollars qu'il touchera en plus de sa voiture de fonction et d'une prime sur salaire de 15 %, ce qui équivaut approximativement à un salaire annuel de 325 000 dollars.

De plus, en avril 1999, il a indûment profité de son statut de président de la SAQ pour accorder sans soumission à la compagnie de marketing Scriptum un contrat de 426 000 dollars. Cette compagnie se trouvait alors en difficulté financière et était incapable de rembourser une dette de 76 000 dollars qu'elle devait à monsieur Frigon [92]. Bien que monsieur Frigon ait soutenu publiquement ne pas savoir que la SAQ avait un contrat avec Scriptum, on a appris qu'il signait lui-même les chèques pour payer les honoraires de cette firme [93].

Il s'avère également que monsieur Frigon a profité du partenariat d'affaire de la SAQ avec le Fonds de solidarité de la FTQ pour obtenir de celui-ci 1 500 000 dollars pour une entreprise personnelle, Publipage, qu'il possède avec son épouse [94]. On sait que, selon le code d'éthique de la SAQ, tout administrateur doit, chaque année, faire part au président du Conseil de tout intérêt personnel qu'il peut avoir dans une entreprise. Or, sur les quatre années où Gaétan Frigon a été à la SAQ, il ne l'a fait qu'une seule fois, soit à ses débuts, en 1998 [95]. Mais, en février 2003, le sous-ministre vérificateur du gouvernement du Parti Québécois, Gilles Rosario Tremblay, n'a pas retenu cette dernière accusation contre lui [96]. Depuis, Gaétan Frigon a démissionné de Loto-Québec et gère Publipage.

Qui sont les grands gagnants de l'actuelle saga québécoise des maisons de jeux ? D'abord, évidemment l'État, mais aussi une foule de petits profiteurs comme l'était monsieur Frigon, des profiteurs qui gravitent et s'activent autour du parti au pouvoir en vue de décrocher rapidement un de ces lucratifs contrats de Loto-Québec ou un de ces emplois en or dans l'administration de Loto-Québec avant qu'il ne soit trop tard et que la population se réveille.

Comment madame Marois a-t-elle pu espérer sincèrement qu'un personnage comme Gaétan Frigon gère Loto-Québec de façon plus juste ou plus humaine ? Obsédé par le profit, cet expert vendeur épicier était prêt à faire n'importe quoi pour l'accroître. À peine entré en poste au début de 2002, il rêvait déjà d'un plus gros casino, de plus de salles de jeux, de plus d'espaces de parking, de plus de salles de spectacles, de plus d'hôtels, de plus de joueurs et de plus de gros joueurs... Tout ça dans un seul but : faire jouer le plus de monde possible. Tel est le sens du plan d'action 2003-2006 de Loto-Québec que M. Frigon présentait en Commission parlementaire le 11 février 2003. Que fera-t-on de cet héritage ? Doit-on s'y tenir ? Ce n'est pas parce que Loto-Québec ment à la population en prétendant faussement vouloir faire des profits supplémentaires avec des joueurs venus de l'étranger que ce plan d'action est valable. Comment Loto-Québec peut-elle faire croire qu'elle retapera complètement ses casinos, qu'elle en ajoutera un nouveau et qu'elle n'augmentera pas d'autre part l'offre de jeu au Québec ? À moins de construire une barricade autour des sites de jeu pour empêcher la population locale d'y avoir accès, il est faux de prétendre pouvoir développer un marché de touristes parieurs tout en évitant de développer celui des joueurs locaux.

Notes

1 Sébastien Rodrigue, « La bête noire des Asiatiques », *La Presse*, 8 juillet 2002, p. A1.

2 Centre des médias alternatifs, « Jeu compulsif et Robert Ladouceur & Cie. », février 2001, www.jeu-compulsif.info.

3 André Cédilot, « Des gains au Casino utilisés pour financer la guerre des motards », *La Presse*, 5 décembre 2002, p. A1.

4 Voir à ce sujet Raynald Beaupré, *Rien ne va plus*, Montréal, Québec Amérique, 2002, p. 21 à 28.

5 Voir à ce sujet Pierre Desjardins, « Loto-Québec ou l'art de taxer les pauvres », *La Presse*, 19 septembre 1988, p. B3.

6 Voir Reuven Brenner et Gabrielle Brenner, *Spéculation et jeux de hasard*, Paris, Presses universitaires de France, 1993, p. 127.

7 On consultera à ce sujet les études de Lemelin (Québec, 1977), de McLoughlin (Ontario,1979), de Heavy (Pennsylvanie, 1978), de Cook (Maryland et Californie, 1987), *ibid.*

8 Éric Grenier, « Nul si découvert », *Voir*, 19 septembre 2002, p. 13.

9 Richard Therrien, « Les hauts… et les bas », *Le Soleil*, 23 novembre 2002, p. C5.

10 Jean-Michel Décugis, « Les nouveaux drogués du jeu », *Le Point*, 28 juin 2002, p. 68.

11 Richard Therrien, *op. cit.*

12 Sébastien Rodrigue, « La maudite machine », *La Presse*, 6 juillet 2002, p. B1.

13 Mahité Breton, « Les jeunes et le jeu », *Voir*, 20 janvier 2000.

14 Propos rapportés par Kathleen Lévesque dans « Loto-Québec joue la carte internationale », *Le Devoir*, 9 novembre 2002, p. A3.
15 Sébastien Rodrigue, « Des changements placebo ? », *La Presse*, 6 juillet 2002, p. A1.
16 Amnon J. Suissa , « Jeu compulsif et plan d'action de Loto-Québec : au-delà des mots et des discours, des miettes », mars 2002, www.jeucompulsif.info.
17 *Ibid.*
18 Voir www.loto-quebec.com.
19 J.P. Roy cité par Tristan Péloquin, « Le programme d'autoexclusion du casino est inefficace, croit un spécialiste », *La Presse*, 7 décembre 2002, p. A4.
20 *Ibid.*
21 Raynald Beaupré, *op.cit.*, p. 69.
22 Loto-Québec, *L'offre de jeu au Québec : un réaménagement nécessaire. Plan d'action 2003-2006*, 8 novembre 2002, p. 10.
23 Claudette Samson, « Le plan d'autoexclusion des bars truffés d'incohérences », *Le Soleil*, 15 décembre 2002, p. A5
24 Lia Lévesque, « Les jeux d'argent toujours populaires au pays », *La Presse*, 26 novembre 2001, p. A3.
25 Richard Hénault, « Loto-Québec est accusé de ne pas avoir réagi », *Le Soleil*, 17 janvier 2003, p. A5.
26 *Le Soleil*, 15 novembre 2002, p. A5.
27 On lira à ce sujet les indications pertinentes d'Alexis de Tocqueville dans *De la démocratie en Amérique*, Gallimard, 1961, tome 1, p. 298 à 305.
28 Dostoïevski, *Le joueur*, Paris, Gallimard, 1936, p. 36.
29 Marie-Claude Malbœuf, « Forum controversé sur le jeu pathologique », *La Presse*, 8 novembre 2001, p. A1.
30 Marie-Claude Malbœuf, « Québec a été très actif pour étendre son réseau de jeux de hasard », *La Presse*, 9 novembre 2001, p. A3.
31 A.J. Suissa, *op. cit.*, mars 2002, www.jeucompulsif.info
32 Marie-Claude Malbœuf, « Québec a été très actif pour étendre son réseau de jeux de hasard », *La Presse*, 9 novembre 2001, p. A3.
33 Brian Hutchinson, *Betting the house*, Penguin books, Toronto, 1999.
34 Voir Jeux d'enfants, un documentaire terrifiant sur les très jeunes québécois et le jeu, réalisé par Johanne Prégent et diffusé sur les ondes de RDI en juin 2002.

35 Sébastien Rodrigue, « La maudite machine », *op. cit.*

36 www.loto-quebec.com.

37 Conseil national du bien-être social, *Les jeux de hasard au Canada*, 1996.

38 Voir André Noël, « Le jeu cause un désastre chez les ados québécois », *La Presse*, 16 mai 2001, p. A3.

39 Jean-François Parent, « La facture sociale du jeu compulsif », www.canoe.qc.ca.

40 Claude Marcil et Marie Riopel, *Les obsédés du jeu*, Montréal, Louise Courteau, 1993, p. 32 à 37.

41 *Ibid.*, p. 10-11.

42 « Le contre-transfert avec les clientèles toxicomanes et de joueurs pathologiques », étude présentée dans le cadre du cours Théorie du cadre psychanalytique (Psy-6228) à l'Université de Montréal.

43 Rosenthal cité dans Claude Marcil et Marie Riopel, *op. cit.*, p.56.

44 Raynald Beaupré, *op. cit.*, p.108.

45 *Pensées*, Paris, Seuil, p. 92.

46 Voir la préface de Sigmund Freud, « Dostoïevski et le parricide » dans Fedor Dostoïevski, *Les Frères Karamazov*, Paris, Gallimard, 1973, tome 1.

47 Edmund Bergler, *The Psychology of Gambling*, New York, International Universities Press, 1958.

48 *Ibid.*, p.125.

49 Christine Tassé, « Traitement psychodynamique pour le jeu pathologique », www.jeu-compulsif.info, décembre, 1999.

50 Vincent Marissal, « Une étude d'une psychologue de Laval le démontre », *Le Soleil*, 25 juillet 1994, p. A1.

51 Alain Bouchard, « Gambling : Ladouceur informe, Bilodeau combat ! », *Le Soleil*, 8 février 2001, p. A4.

52 « Le traitement Ladouceur », novembre 2002, www.jeu-compulsif.info.

53 Décembre 1999, www.jeu-compulsif.info.

54 Voir : « Remarques sur le taux de succès de 86 % du traitement cognitif-béhavioral du professeur Ladouceur », www.jeu-compulsif info.

55 Ladouceur cité dans *Le Soleil*, 15 juillet 1999, p. B7.

56 Éric Grenier, « Les loteries vidéo », *Voir*, 9 octobre 1997, p. 10.

57 « Jeu compulsif et Robert Ladouceur & Cie. », *op.cit.*

58 Louise Leduc, « Étude commanditée par Loto-Québec. Un petit gratteux

avec ça ? », *Le Devoir*, 6 mai 2000, A3.

59 *La Presse*, 12 septembre 2002, p. A6.

60 Étude réalisée pour le compte du Conseil national du bien-être-social. Les jeux de hasard au Canada, 1996.

61 Raynald Beaupré, *op. cit.*, p.174.

62 Recherche citée dans *Rien ne va plus*, *op.cit.*, p.178.

63 Marie-Claude Malbœuf, « Forum controversé sur le jeu pathologique », *La Presse*, 8 novembre 2001, p. A1.

64 *Rien ne va plus*, *op.cit.*, p. 69.

65 Claude Marcil et Marie Riopel, *op. cit.*, p.167.

66 Témoignage rendu lors de l'émission Le jeu pathologique diffusée sur les ondes de Télé-Québec en 2001 dans le cadre de la série Oppressions, production Icotop, réalisation de Denise Payette.

67 *Loto-Québec, L'offre de jeu au Québec : un réaménagement nécessaire. Plan d'action 2003-2006*, 8 novembre 2002.

68 Karim Benessaieh, « Nouveau pavé dans la mare », *La Presse*, 4 février 2003, p. E1.

69 Mario Cloutier, « Loto-Québec finance des voyages de gens âgés au Casino de Charlevoix », *La Presse*, 17 décembre 2002.

70 André Saulnier, « L'envers de la médaille », *La Presse*, 18 novembre 2002, p. A9.

71 Louise Cousineau, « TQS n'a pas diffusé l'épisode sur le jeu de Auger enquête », *La Presse*, 4 décembre 2002, p. C2.

72 Gilles Gagné, « Le groupe Verreault veut aménager un casino flottant », *Le Soleil*, 20 janvier 2003, p. A1.

73 « Frigon : Marois demande un avis au Procureur général », *La Presse*, 12 février 2003, p. A7.

74 L'offre et le jeu au Québec. Un réaménagement nécessaire, Plan d'action 2003-2006, Loto-Québec, 8 novembre 2002, p. 1.

75 « Special report: Owners get sure-fire bet », *The Montreal Gazette*, 28 septembre 2002.

76 Alexander Norris, « A rich business »,*The Montreal Gazette*, 28 septembre 2002.

77 Alexander Norris, « VLTs Target the poor », *The Montreal Gazette*, 30 septembre 2002

78 Yair Reznik, *Loteries vidéo : Passion-compulsion*, Montréal, Saint-Martin, 2000, p.71.

79 Raynald Beaupré, *op.cit.*, p.181.

80 Ken Estes et Mike Brubaker, *Deadly odds*, New York, Parkside Publishing Corporation, 1994, p. 72-78.

81 Claude Marcil et Marie Riopel, *op. cit.*, p.56.

82 Laura-Julie Perrault, « Peter Sergakis demande une enquête du vérificateur général sur les hippodromes », *La Presse*, 23 décembre 2002, p. E3.

83 Tristan Péloquin, « Pour des bingos en santé », *La Presse*, 21 décembre 2002, p. A8.

84 Jean-Simon Gagné, « Viva la république de Santa Banana », *Le Soleil*, 2 décembre 2002, p. A5.

85 Éric Grenier, « Nul si découvert », *Voir*, 19 septembre 2002, p.13.

86 Loto-Québec, *Rapport officiel 2001-2002*, www.loto-quebec.com, p.16 à 43.

87 Jérôme Delgado, « Le casino néglige son Serge Lemoyne », *La Presse*, 27 mai 2002, p. C8.

88 Stephane Baillargeon, « La roue de l'infortune », *Le Devoir*, 16 décembre 1993, p. A1.

89 Jean-Jacques Samson, « Le curieux mécénat de Frigon », *Le Soleil*, 14 février 2003, p. A12.

90 www.radio-canada.ca, 10 février 2003.

91 Denis Lessard, « 300 000 $ de fonds publics en tableaux douteux », *La Presse*, 11 février 2003, p. A7.

92 « Parfum de vinaigre à la SAQ », www.radio-canada.ca, 22 janvier 2003.

93 Denis Lessard, « Le président de Loto-Québec forcé de démissionner », *La Presse*, 14 février 2003, p. A2.

94 Presse canadienne, « Fonds de la Solidarité et SAQ », *Le Soleil*, 22 janvier 2003, p. A6.

95 Presse Canadienne, « L'opposition veut une enquête sur la gestion de la SAQ », *Le Soleil*, 23 janvier 2003, A13.

96 Denis Lessard, « Le président de Loto-Québec forcé de démissionner », *La Presse*, 14 février 2003, p. A1.

Bibliographie

BEAUPRÉ, Raynald, *Rien ne va plus*, Montréal, Québec Amérique, 2002.

BERGERET, Jean, *Toxicomanie et personnalité*, Paris, Presses universitaires de France, 1982.

BERGLER, Edmund, *The Psychology of Gambling*, New York, International Universities Press, 1958.

BRENNER, Reuven et A. GABRIELLE, *Spéculation et jeux de hasard*, Paris, Presses universitaires de France, 1993.

BURNHAM, John CHYNOWETH, *Bad Habits. Drinking, Smoking, Taking Drugs, Gambling, Sexual Misbehavior, and Swearing in American History*, New York University Press, 1993.

CAILLOIS, Roger, *Les jeux et les hommes*, Paris, Gallimard, 1967.

CASTELLANI, Brian, *Pathological Gambling. The Making of a Medical Problem*, Albany, State University of New York Press, 2000.

CHEVALIER, Serge et Denis ALLARD, *Jeu pathologique et joueurs problématiques.* Le jeu à Montréal, Montréal, Régie régionale de la santé et des services sociaux de Montréal-Centre et Direction de la santé publique, 2001.

Conseil national du bien-être social du Canada, *Les jeux de hasard au Canada*, Ottawa, 1996.

CUSTER, Robert et Harry MILT, *When Luck Runs Out*, New York, Facts on File Publications, 1985.

Criterion Research Corp., *Problem Gambling Study*, Winnipeg, 1995.

DOSTOÏEVSKI, *Les Frères Karamazov*, préface de Sigmund Freud, « Dostoïevski et le parricide », Paris, Gallimard, 1973, tome 1.

———, *Le Joueur*, Paris, Gallimard, 1936.

EADINGTON, W. et J.A. CORNELIUS, *Gambling Behaviour and Problem Gambling*, University of Nevada Press, 1993.

ESTES, Ken et Mike BRUBAKER, *Deadly Odds*, New York, Parkside Publishing Corporation, 1994.

FINNEY, Jarlath, Gaming, *Lotteries, Fundraising and the Law, London*, Sweet & Maxwell, 1982.

FRANK, D. et A. WEXLER, « Suicidal Behaviour Among Members of Gamblers Anonymus », *Journal of Gambling Studies*, 1991, p. 249 à 254.

GOODWIN, Barbara, *Justice by Lottery*, Univesity of Chicago Press, 1992.

HOFFMAN, William, *The Loser*, New York, Funk and Wagnalls, 1968.

HUTCHINSON, Brian, *Betting the House*, Toronto, Penguin books, 1999.

ISAACS, Neil David, *You Bet Your Life. The Burdens of Gambling*, Lexington, The University Press of Kentucky, 2001.

KNAPP, Bettina Liebowitz, *Gambling, Game, and Psyche*, Albany, State University of New York Press, 2000.

LABROSSE, Michel, *Les loteries... de Jacques Cartier à nos jours : la petite histoire des loteries au Québec*, Montréal, Stanké, 1985.

LADOUCEUR, Robert, *Le jeu excessif, comprendre et vaincre le gambling*, Montréal, Éditions de l'Homme, 2000.

——— (dir.), « Prevalence of Pathological Gambling and Related Problems Among College Students in the Quebec Metropolitain Area », *Canadian Journal of Psychiatry*, vol. XXXIX, no 5, juin 1994.

——— (dir.), « Social Cost of Pathological Gambling », *Journal of Gambling Studies*, vol. X, no 4, hiver 1994.

LESIEUR, Henry R., *The Chase: Career of The Compulsive Gambler*, Cambridge (Mass.), Shenkman Pub. Co., 1984.

———, *Understanding Compulsive Gambling*, Minnesota,

Hazelden, 1986.

Loto-Québec, *L'offre de jeu au Québec : un réaménagement nécessaire*. Plan d'action 2003-2006, 8 novembre 2002.

———, Rapport annuel 2001-2002, www.loto-quebec.com

———, 10 ans déjà/Loto-Québec, Montréal, Société des loteries et courses du Québec, 1980.

MARCIL, Claude et Marie RIOPEL, *Les obsédés du jeu*, Montréal, Éditions Louise Courteau, 1993.

PASCAL, Blaise, *Pensées*, Paris, Le Seuil, 1962.

POULIOT, Élise, *L'argent fait le bonheur*, Montréal, R. Ferron, 1973.

REZNIK, Yair, *Loteries vidéo. Passion-compulsion*, Montréal, Saint-Martin, 2000.

ROSECRANCE, John, *Gambling without Guilt. The legitimation of an American Pastime*, California, Belmont, 1988.

ROSENTHAL, R.J., « The pathological gambler's system for self-deception », *Journal of Gambling Behavior*, 1986.

SPANIER, David, Easy Money: *Inside the Gambler's Mind*, London, Secker & Warburg, 1987.

THORPP, Edwin O., *Beat the Dealer*, Vintage Books, 1983.

TOCQUEVILLE, Alexis de, *De la démocratie en Amérique*, Paris, Gallimard, 1961, tome 1.

VALLEUR, Marc et Christian BUCHER, *Le jeu pathologique*, Paris, Presses universitaires de France, collection « Que sais-je ? », 1997.

Ville de Montréal, *Étude publique concernant le phénomène des prêteurs sur gages à Montréal*, avril 2000.

WALKER, Michael B., *The Psychology of Gambling*, New York, Pergmanon Press, 1992.

ZENDZIAN, Craig A., *Who Pays? Casino Gambling, Hidden Interests, and Organized Crime*, New York, Harrow and Heston, 1993.

Table des matières

TROISIÈME PARTIE :
Le plan d'action 2003-2006 de Loto-Québec : un plan de fou !

QUATRIÈME PARTIE :
Loto-Québec : une société d'État généreuse pour ses amis